O LEGADO
DOS AVÓS

O LEGADO DOS AVÓS

INSPIRAÇÃO E IDEIAS PARA UM INVESTIMENTO ETERNO

DAVID MERKH • MARY-ANN COX

©2011 David J. Merkh /
Mary-Ann Cox

1ª edição: julho de 2011
2ª reimpressão: outubro de 2022

REVISÃO
André Lima
Simone Granconato

DIAGRAMAÇÃO
Catia Soderi

CAPA
Guther Faggion

EDITOR
Aldo Menezes

COORDENADOR DE PRODUÇÃO
Mauro Terrengui

IMPRESSÃO E ACABAMENTO
Imprensa da Fé

As opiniões, as interpretações e os conceitos emitidos nesta obra são de responsabilidade dos autores e não refletem necessariamente o ponto de vista da Hagnos.

Todos os direitos desta edição reservados à
EDITORA HAGNOS LTDA.
Av. Jacinto Júlio, 27
04815-160 — São Paulo, SP
Tel.: (11) 5668-5668

E-mail: hagnos@hagnos.com.br
Home page: www.hagnos.com.br

Editora associada à:

Dados Internacionais de Catalogação na Publicação (CIP)
(Câmara Brasileira do Livro, SP, Brasil)

Merkh, David J.

O legado dos avós: inspiração e ideias para um investimento eterno / David J. Merkh, Mary-Ann Cox. — São Paulo: Hagnos, 2011.

ISBN 978-85-63563-31-6

1. Avós 2. Avós e netos 3. Crianças - Vida religiosa 4. Papel dos avós I. Título.

11-06699   CDD-306:8745

Índices para catálogo sistemático:
1. Avós e netos : Relações familiares : Sociologia 306:8745

Dedicado aos avós dos nossos filhos, elos fiéis do legado que é passado de geração a geração:

O que ouvimos e aprendemos,
O que nos contaram nossos pais,
Não o encobriremos a seus filhos;
Contaremos à vindoura geração os louvores do SENHOR
E o seu poder e as maravilhas que fez.
Ele estabeleceu um testemunho em Jacó,
E instituiu uma lei em Israel,
E ordenou a nossos pais que os transmitissem a seus filhos,
A fim de que a nova geração os conhecesse,
Filhos que ainda hão de nascer, se levantassem
E por sua vez os referissem aos seus descendentes.
Salmos 78:3-6

Sumário

Prefácio 11
Como usar este livro 15
Introdução: Ser avô não é para covardes! 17

Parte I: Inspiração - A responsabilidade dos avós

1. A coroa dos "coroas" 27
2. Não se faz mais avós como antigamente 35
3. O legado dos avós 43
4. Envelhecendo com graça (e gratidão) 51
5. Avós que andam com Deus 59
6. O ano 2260 e o legado espiritual 71
7. Passando o bastão da fé 83
8. Avôs intercessores 95
9. Avós educadoras 103
10. Vô, conta uma história! 111
11. "Não interferirás..." 123
12. A diferença que o avô faz 131
13. ... Que também tem sido mãe (e avó!) para mim 143

Parte II: Informação - 101 ideias criativas para o Dia da vovó

Não sei o que fazer!... 153
Marcas.. 155
Dia da vovó... 157
101 Ideias criativas 171
    Refeições 171
    Receitas 180
    Compartilhar 187
    Tradições e projetos 192
    Lembranças e memoriais 202
    Conectando-se à distância 211
    Ministério 217
    Boas maneiras 221
    Outras dicas e ideias 227

Conclusão... 247
Muitas outras ideias 249
Bibliografia 251
Sobre os autores 253

*Se eu soubesse o quanto
ser avô é divertido,
eu teria sido avô antes de ser pai*[1]

---
1 Susan Bosak em *How to Build the Grandma Connection*, p. 144.

Prefácio

No Brasil, o dia 26 de julho é reconhecido como o "Dia dos avós".[2] Em nossa família, toda segunda-feira é o Dia da vovó. É o dia em que a *vó*, dona Mary-Ann, reúne todos os netos que ainda moram perto dela para uma tarde de atividade, aprendizagem e diversão que ficará para sempre na memória dos netos.

É legal ter um Dia dos avós para celebrar a importância que eles têm em sua família e na sociedade. Afinal de contas, muitos avós hoje são responsáveis pela manutenção e criação de seus netos. Mais importante ainda é o legado que esses avós deixam.

---

[2] Comemora-se o Dia dos avós em 26 de julho porque é o dia dos pais de Maria, avós de Jesus, Santana e S. Joaquim. Conta a história que Ana e seu marido Joaquim moravam em Nazaré. Eles não tinham filhos, mas sempre oravam pedindo a Deus que lhes desse um bebê. Apesar da idade avançada do casal, um anjo do Senhor apareceu a eles e comunicou que Ana estava grávida. Maria, então, nasceu, e foi abençoada por Deus tornando-se a mãe do Salvador. Disponível em : <http://www.portaldafamilia.org.br/datas/avos/diadasavos.shtm>. Acesso em 9 de março de 2011.

O Dia da vovó representa um esforço intencional da parte, principalmente, da vovó (mas, certamente inclui o vovô!) em investir sua vida na próxima geração. A palavra chave é "intencional". Como certo autor concluiu: "Alguns avós têm invertido a responsabilidade [de investir na vida dos netos] e dito egoisticamente: 'Eles não se lembram de mim. Não conversam comigo. Não me telefonam. Não me dão atenção'. No entanto, quem é o adulto? Quem deveria tomar a iniciativa?"[3]

Esse livro compartilhará não somente a inspiração necessária para você se tornar um avô ou uma avó cada vez mais interessado em deixar esse legado, mas também algumas (101!) ideias para que o tempo com os netos seja criativo e gostoso ao mesmo tempo.

Reconhecemos que "não há nada novo debaixo do sol", mas neste livro há, pelo menos, dois aspectos interessantes:

Primeiro, um livro escrito por um genro e sua sogra deve ser novidade.

Esse livro é fruto de uma promessa que fiz à minha sogra, dona Mary-Ann Cox. Durante 26 anos ela e o Sr. Davi Cox têm sido avós ativos. Toda semana a casa da *vó* se enche com os gritos de alegria de alguns ou de todos os seus VINTE netos que se juntam para o Dia da vovó.

Tenho presenciado a paciência, criatividade, bagunça e, acima de tudo, a INTENCIONALIDADE desses avós ao investirem suas vidas na verdadeira herança que deixarão para o futuro - seus netos.

---

[3] Roger C. Palms, Celebrando a Vida depois dos 50 (Textus: Rio de Janeiro, 2000), p. 121.

Prefácio

Esse legado não tem preço, é um presente para os netos. Mas os avós têm um preço a pagar. Deixar um legado exige sacrifício, tempo, investimento, e um pouco de sujeira na sala de estar! Mas está ao alcance de todos os avós que, pela graça de Deus, querem investir em algo mais precioso que ouro, prata, ações ou terrenos—seu legado, os netos que Deus lhes concedeu. Esses representam o que Salmos 127:4 chama de flechas que avós e pais atirarão para um mundo que, provavelmente, os avós não conhecerão.

A segunda "novidade" desse livro aconteceu ao longo dos dois anos em que preparávamos o manuscrito. É que eu e a minha esposa nos tornamos avós QUATRO VEZES! De repente, o manuscrito que visava preservar o legado dos meus sogros e encorajar aqueles "mais maduros" - os avós ao nosso redor - se transformou num texto para NÓS - marinheiros de primeira viagem na maravilhosa aventura de ser avós!

O pensamento que me veio à mente quando soube que minha filha e meu genro estavam esperando nosso primeiro neto foi algo do tipo: "Imagine eu, casado com uma avó!"

Mas não muito tempo depois, alguém me enviou um texto anônimo pela internet: "A regra dourada de ser avô", que me ensinou as primeiras lições dessa nova etapa de vida.

A REGRA DOURADA DE SER AVÔ:

Regra 1. Nunca, JAMAIS, fale para sua esposa que agora você está casado com uma avó. Essa declaração se encaixa na categoria de respostas como "Sim", quando ela pergunta se aquele vestido faz com que ela pareça gorda. Uma vez dito, não há retorno, e sempre ela comentará que você acha que ela é velha (ou gorda). Advertência: Elas NUNCA vão esquecer-se disso, e sempre perguntarão por sua vez: "O que aconteceu com o homem com que eu me casei? - ele tinha cabelo, não era grisalho, não era barrigudo."

Regra 2. Sempre, mas SEMPRE, comente como ela parece linda demais (ajuda se você comprar flores também) e como parece tão jovem com o bebê no colo. Essa regra ajuda muito, especialmente se você pisou no tomate e fez a declaração sobre a avó acima.

Regra 3. Quando em dúvida, feche a boca, sorria e lembre-se da Regra 1.

Bem, o que você tem em suas mãos faz parte de um sonho: que avós serão encorajados a investirem o que tem de mais precioso - a própria vida - na vida do maior presente que Deus já lhes deu - seus netos. Que as ideias, sugestões, anedotas, recordações e histórias deste livro aqueçam seu coração como avós. Que as palavras do salmista se cumpram em sua vida:

> Eis como será abençoado o homem que
> teme ao SENHOR!
>
> O SENHOR te abençoe desde Sião,
> para que vejas [...] os filhos de teus filhos (Salmos 128:4-6).

Como usar
este livro

Preparamos esse livro como guia de viagem para avós, sejam "marinheiros de primeira viagem" ou já marinheiros experientes.

Para aqueles que querem adquirir e aperfeiçoar uma perspectiva bíblica sobre ser avô nos dias difíceis em que vivemos, Parte I, escrito por Pr. David Merkh, oferece inspiração e visão.

Para aqueles que preferem pular a teoria e ir direto para a parte mais "prática", a Parte II dá um catálogo de ideias adquiridas e experimentadas ao longo de quase três décadas de experiência como avós. É um registro "oficial" das atividades que a dona Mary-Ann Cox tem desenvolvido com seus netos.

O Legado dos Avós foi, realmente, um projeto de família. A primeira revisão foi feita por Adriana Barbosa Merkh, esposa de um dos netos da dona Mary-Ann, e por Carol Sue Merkh, filha do casal Cox. E TODOS os vinte netos, espalhados hoje em três continentes, mandaram testemunhos e lembranças do Dia da vovó. Essas recordações dos netos são encontradas entre os capítulos, e sinalizam o impacto que os avós podem ter por muitas gerações.

Para grupos de terceira idade, grupos pequenos, ou até mesmo classes de Escola Bíblica Dominical, os capítulos da primeira parte incluem Perguntas para Discussão. O grupo pode ler o capítulo e depois discutir os conceitos usando as perguntas como guia.

Sugerimos que casais de avós leiam o livro juntos para adquirir a mesma visão sobre essa maravilhosa tarefa de investir nos netos.

Que Deus abençoe a todos.

Atibaia, abril de 2011

David J. Merkh
Mary-Ann Cox

Introdução

Ser avô
não é para covardes!

Meu pai tem 84 anos. Ele gosta de dizer que tem tanto para fazer na sua aposentadoria que não sabe como antes encontrava tempo para trabalhar!

Depois de ficar viúvo, casou-se com uma viúva. Entre eles, têm 10 filhos, 37 netos e 13 bisnetos. É quase um trabalho de tempo integral mandar, se quiserem, um cartão de aniversário para cada um deles!

Meu pai também gosta de dizer que "envelhecer não é para covardes". Para quem tem mais de quarenta netos e bisnetos, seria mais correto dizer que "ser avô não é para covardes". Especialmente nos dias em que vivemos.

A realidade que os avós enfrentam hoje é muito diferente da que experimentaram no passado. As mudanças tecnológicas nos deixam tontos. O ritmo de vida, crises econômicas, a mobilidade, famílias espalhadas e a mídia são suficientes para tirar o fôlego de qualquer um.

Ao mesmo tempo, os avós têm mais responsabilidades hoje do que no passado. Com mais e mais mães trabalhando fora de casa, com o aumento exponencial de divórcio e famílias desintegradas, muitas vezes são os avós que "herdam" a responsabilidade de cuidar dos netos. Hoje, há mais avós criando seus netos do que em qualquer época da história. Como afirma a autora Susan Bosak: "No mundo frenético de hoje, com famílias de duas carreiras e pais solteiros, um avô envolvido na vida dos netos pode ir longe para preencher a lacuna em sua vida."[4]

Mas nada disso tira a alegria de sermos avós. Ser avô hoje exige coragem, sim. Mas as bênçãos são muito maiores que o esforço despendido. Netos são como a Fonte de Vida - nos rejuvenescem. Revigoram-nos. Lembram-nos dos "bons velhos tempos" em que criamos nossos filhos. Melhor, depois de um dia de passeios e festa com os avós, os netos voltam para as suas próprias casas! Enchem nossos corações com amor e alegria, mas em doses homeopáticas!

Em seu livro *Creative Grandparenting* (Avós Criativos) os autores Jerry e Jack Schreur sugerem:

> Ser avô oferece tudo que é melhor de ser pai, pois não há o peso de responsabilidade que acompanha a paternidade. Podemos ficar livres para curtir nossos netos como talvez não conseguíssemos fazer com nossos filhos. Não somos mais aqueles recém-casados tentando equilibrar carreiras,

---
[4] Susan Bosak, *How to Build the Grandma Connection*, Toronto: TCP Press, 2004; p 17.

Introdução - Ser avô não é para covardes!

financiamentos, e o estresse de uma jovem família. Somos mais velhos, mais maduros, talvez um pouco menos rígidos com o passar dos anos. Estamos mais dispostos a rir e a chorar, mais preparados para amar sem reservas.[5]

Neste livro queremos resgatar uma perspectiva bíblica e equilibrada sobre o privilégio e a responsabilidade de ser avós. Na primeira parte, trataremos de inspiração, fazendo com que elevemos nossos olhos para encarar o privilégio e a responsabilidade de investir nos nossos netos como o maior legado que deixaremos na Terra.

Mas, será que precisamos nos esforçar tanto para sermos bons avós? Precisamos ser tão criativos? As coisas não acontecem naturalmente? Talvez sim, mas o esforço motivado pelo amor e pelo desejo de impactar gerações como avós criativos não somente deixará um legado de segurança, raízes profundas e fé em Deus, como também mudará nossa vida como avós:

> Avós criativos têm um impacto profundo na vida dos seus netos. Talvez não consigamos reconhecer nossa influência até mais tarde, quando se tornarem adultos, evidenciando os princípios que norteiam sua vida e o tipo de pessoa que são. Descanse tranquilo, seja qual for o resultado, ser avô criativo é uma das experiências de vida mais realizadoras que podemos ter. Não somente pelos

---

[5] Jerry e Jack Schreur: *Creative Grandparenting: how to love and nurture a new generation*. Grand Rapids: Discovery House, 1992; p. 14.

resultados na vida dos nossos netos, mas por causa daquilo que acontece dentro de nós...

Seremos transformados também pela preocupação com o legado que deixaremos para nossa família [...] Não falo sobre a herança das nossas posses terrestres. Falo sobre os "intangíveis" que deixaremos para nossos filhos e netos, que eles levarão consigo para o resto de sua vida...Quero que eles se lembrem de mim como homem que amava a Deus com todo o coração e com toda força. Quero que carreguem consigo a certeza de que eu acreditava neles, que achei que eles eram o "máximo". Esse é o legado que desejo deixar aos meus descendentes.[6]

Cabe aqui uma palavra sobre "legados". Sabemos que somente a graça de Deus nos permite ter um legado fiel para a glória dele. A nossa preocupação não deve ser tanto com NOSSO legado, e sim, com a fidelidade às responsabilidades que Deus nos deu. Autor e presidente de universidade, Dr. Bill Brown observa:

> Aqueles que deixam o maior legado nunca pensam sobre seu legado. Estão ocupados demais investindo na vida de outros para se preocuparem com o que pessoas vão pensar deles no futuro [...] Sua vida é muito bem vivida, um testemunho à bondade de Deus.[7]

---

6 Schreur, pp 210-211.

7 Bill Brown, Cedarville University Inspire, Primavera 2008, p. 44.

Introdução - Ser avô não é para covardes!

Em outras palavras, eles estão tão ocupados investindo em seu legado, que não acham tempo para pensar no legado. Tarefa fácil nestes dias difíceis? De jeito nenhum! Ser avô não é para covardes. Mas vale a pena? Mil vezes sim! E por mil gerações.

Parte I

Inspiração

A responsabilidade dos avós

A avó é a babá que assiste as crianças e não à televisão.[8]

---
8 Janet Lanese, *Grandmothers are Like Snowflakes*, p. 16.

1
A coroa
dos "coroas"

~~~~~~~~~~

Não existe brilho maior que aquele refletido no rosto de avós quando passeiam com seus netos. E deve ser assim. Netos são a coroa dos "coroas"!

Foi assim com Jacó (também conhecido como "Israel"), quando encontrou pela primeira vez os filhos do seu filho amado, José, depois de tantos anos nos quais imaginava que seu filho havia morrido:

> *Então disse Israel a José: Eu não cuidara ver o teu rosto; e eis que Deus me fez ver os teus filhos também* (Gênesis 48:11).

Confesso que minha paixão pelos netos, às vezes, beira a idolatria. Sou capaz de atropelar qualquer um que ficar na minha frente quando estou tentando chegar ao berçário da igreja para pegar a minha netinha antes de qualquer adolescente, "tio" ou "tia". E não sou o único. Quantas vezes ouvimos um avô proclamar: "Tenho os netos mais lindos do mundo!" E tem razão. Para nós que somos avós, nossos netos SÃO os mais lindos, mais educados, mais comportados, mais inteligentes e mais talentosos do mundo.

À luz da Palavra de Deus, ter filhos é uma das maiores bênçãos que o ser humano pode experimentar. Salmos 127 e 128 descrevem os filhos como herança, fruto, galardão (127:3), flechas (4), proteção (5) e rebentos da oliveira, à roda da tua mesa (128:3). (Esse conceito contraria aqueles que consideram filhos uma praga, inconveniência e interrupção de carreiras promissoras).

Mas, se ter filhos é bênção, ter netos é bênção em dose dupla. E é uma bênção tanto para os avós, como para os netos:

> [O relacionamento entre avós e netos] é um relacionamento simbiótico. Os benefícios de ser um avô criativo, envolvido na vida dos netos, são muitos. Nossos netos nos dão vida; damos para eles experiência. Eles nos fornecem entusiasmo; emprestamos para eles a sabedoria dos anos. Netos renovam em nós a sensação do possível. Dão-nos esperança, lembrando-nos de coisas sobre nós mesmos que talvez esquecemos e ensinando-nos outras que nunca soubemos.[9]

---
9 Schreur, p. 6.

Conforme o salmista, o auge da bênção do Senhor são os netos:

> O SENHOR te abençoe desde Sião, para que vejas a prosperidade de Jerusalém durante os dias de tua vida, vejas os filhos de teus filhos. Paz sobre Israel! (Salmos 128:5,6).

> Mas a misericórdia do SENHOR é de eternidade a eternidade, sobre os que o temem, e a sua justiça sobre os filhos dos filhos; para com os que guardam a sua aliança, e para com os que se lembram dos seus preceitos e os cumprem (Salmos 103:17,18).

O autor de Provérbios concorda. Identifica a glória dos avós como sendo a vida dos netos:

> Coroa dos velhos são os filhos dos filhos; e a glória dos filhos são os pais (Provérbios 17:6).

A coroa sinaliza glória, honra e dignidade. Motivo de orgulho santo e alegria. Representa um legado, a possibilidade de estender nossa influência na Terra, para a glória de Deus, muito depois de termos passado para nosso lar celestial. Por meio dos netos, podemos ser como Abel: *...mesmo depois de morto, ainda fala* (Hebreus 11:4).

Claro, os netos representam o fruto de anos e anos de investimento, primeiro nos pais deles, depois em sua própria vida. Costumamos dizer que a verdadeira prova do sucesso do nosso trabalho na educação dos filhos não é a vida deles, mas a vida dos SEUS filhos. Ou seja, sabemos que o "discipulado" do lar realmente funcionou se nossos discípulos (nossos filhos) conseguem transmitir aos filhos deles (nossos netos) esse legado espiritual. Paulo ecoa essa ideia quando exorta a Timóteo:

> E o que de minha parte ouviste, através de muitas testemunhas, isso mesmo transmite a homens fiéis que serão idôneos para instruir a outros (2Timóteo 2:2).

Foi isso mesmo que aconteceu com Timóteo, que herdou da sua avó Loide e da sua mãe Eunice o bastão da fé. Por isso Paulo o exorta: "Tu, porém, permanece naquilo que aprendeste, e de que foste inteirado, sabendo de quem o aprendeste" (2Timóteo 3:14). Sabemos que Timóteo aprendeu muito com o apóstolo Paulo. Mas o próximo versículo esclarece que também havia aprendido muito com a mãe e com a avó: "E que desde a infância sabes as sagradas letras que podem tornar-te sábio para a salvação pela fé em Cristo Jesus" (2Timóteo 3:15).

Certamente Timóteo era "coroa" na vida da vovó Loide. Mas ele também encontrava sua glória na vida fidedigna da avó e da sua mãe Eunice. A segunda metade do Provérbio citado acima diz: "e a glória dos filhos são os pais" (Provérbios 17:6). Assim como os avós gloriam-se na vida dos netos, os filhos recebem honra quando são reconhecidos como filhos (e netos) de pais e avós dignos. Certa vez alguém desafiou pais e avós assim: "Seja o tipo de pai, que se alguém apresentar seu filho como seu filho, ele estufe o peito e não estique a língua."

Para realmente servirem de "coroas", o texto pressupõe netos fiéis a Deus, obedientes, diligentes, respeitosos. Infelizmente, às vezes, temos netos que só aumentam nossos cabelos brancos, sem dar nenhum brilho de glória. Todo avô deve ter a preocupação de ver seus descendentes andar com o Senhor, viver à luz da eternidade, investir suas vidas nas únicas coisas que realmente são eternas neste mundo:

- a Pessoa de Deus
- a Palavra de Deus
- as Pessoas

Se desejarmos que nossos descendentes andem com o Senhor, temos que andar com o Senhor. Foi assim com Enoque e seu bisneto Noé, as únicas pessoas que Gênesis diz: *andavam com Deus*.

Por isso os avós ainda têm uma missão de intercessão e instrução, para deixar uma herança espiritual para seus descendentes. Esse é o destaque de outro texto de sabedoria divina sobre a influência dos avós. Provérbios 13:22 diz:

> O homem de bem deixa herança aos filhos de seus filhos, mas a riqueza do pecador é depositada para o justo.

O versículo faz um contraste para ilustrar a economia divina. Deus preserva o legado (e os bens) do justo, que dura não somente o suficiente para abençoar os filhos, mas também os netos! Mas ele dissipa (e distribui) a riqueza (impiamente acumulada) do ímpio. A natureza dos provérbios, que são resumos de longas experiências de vida em poucas palavras, inclui a possibilidade de possíveis exceções à regra. Mas a ideia fica clara: A bênção do Senhor se transmite de geração a geração, àqueles que amam ao Senhor.

No contexto em que o provérbio foi escrito, debaixo da Aliança Palestiniana, a ênfase recaía sobre herança material (veja Deuteronômio 27, 28). Debaixo da Nova Aliança e das bênçãos concedidas ao cristão "nas regiões celestiais em Cristo" (Efésios 1:3-14), entendemos que há muito mais em jogo para nós. Como o apóstolo João exultou: "Não tenho maior alegria do que esta, a de saber que meus filhos andam na verdade" (3João 4).

A mesma ideia se repete em outro texto que já vimos, do próximo capítulo de Provérbios, deixando claro que Deus está mais interessado no nosso legado de caráter do que no portfólio financeiro:

> No temor do SENHOR tem o homem forte amparo,
> E isso é refúgio para os seus filhos (Provérbios 14:26).

Que desafio para nós, avós! Ser a glória dos nossos filhos e netos, porque andamos com o Senhor. Que bênção do Senhor para nós, avós: curtir os netos como coroas "dos coroas", as flechas enviadas para um mundo que nós não conheceremos, mas que continuarão nosso legado por múltiplas gerações.

> Coroa dos velhos são os filhos dos filhos;
> e a glória dos filhos são os pais (Provérbios 17:6).

Para discussão

- Leia os Salmos 127 e 128. Quais os benefícios de uma família criada no temor do Senhor? Em que sentido os netos representam "bênção em dose dupla" para os avós?
- À luz de Provérbios 17:6, como os netos são a glória dos avós?
- Leia Provérbios 13:22. Que tipo de herança está em vista? Como aplicar os princípios desse versículo de forma prática?
- Segundo Provérbios 14:26, o temor do Senhor providencia um refúgio para a família. Em qual sentido?
- Quais passos práticos os avós podem tomar, para investir em seu legado eterno?

2
Não se faz

mais avós como antigamente

Ridca Stanescu da Romênia deve ser a avó mais nova na terra. Sua filha, Maria, nasceu quando Ridca tinha somente 12 anos de idade. Quando Maria tinha apenas 11 anos, deu à luz seu primeiro filho, o netinho da vovó, agora com 23 anos.[10]

Casar-se e ter filhos ainda bem jovem é algo comum na cultura cigana. Mas entre nós, há muitos que se tornam avós precocemente, de maneira inesperada:

> Hoje é comum pessoas tornarem-se avós inesperadamente, quando ainda estão no mercado de trabalho, quando não realizaram alguns de seus sonhos de viagem, e isso porque seus filhos, que

---
10 Disponível em: <http://shine.yahoo.com/channel/parenting/worlds-youngest-grandmother-at-just-23-years-old-2462725>. Acesso em 9 mar. 2011.

> mal saíram da adolescência, já se tornaram pais, e novos avós precisam ser, ao mesmo tempo, pais de jovens e avós de pequeninos...
>
> Hoje um número crescente de mulheres de meia idade está começando a criar uma família – a dos filhos – na época em que planejavam aproveitar a vida e gozar a aposentadoria.[11]

Mesmo assim, em nossos dias e na cultura brasileira, mais e mais casais esperam para casar e ter filhos. É fato que os avós PARECEM cada vez mais jovens. Conforme a manchete de capa da revista *Veja*, dia 9 de julho de 2008, "A vida começa aos 50!". O subtítulo do artigo proclamou: "Eles e elas não querem saber de aposentadoria, abrem negócios, voltam a estudar e aproveitam a vida como nunca." Em outras palavras, não se faz avós como antigamente!

> Já se foi o tempo em que a imagem das avós estava somente ligada aos almoços de domingo, à velha cadeira de balanço, óculos na ponta do nariz, roupas de lã antiga, jeitinho manso de falar e histórias de quando os tempos eram diferentes. Hoje, mais do que nunca, as avós assumem um papel muito importante na educação de seus netos e também na sociedade.
>
> No dia 26 de julho comemoramos o Dia da vovó – figura que aos poucos, foi se adaptando e assumindo novo papel de importância dentro do seio familiar. Atualmente, a tarefa que antes era

---

[11] Gomes, p. 49.

somente brincar, levar as crianças à escola, preparar coisas gostosas e contar casos divertidos, divide espaço com uma carreira, estudo e novas obrigações. Embora a figura das vovós esteja mudando, uma coisa não pode, nem deve ser alterada – a postura de "mãe mais madura", que com sua experiência, consegue levar com facilidade e naturalidade a relação com as crianças, pois ela já está consciente de todos os acertos e erros cometidos com os filhos.[12]

O mundo mudou. O "cinquentão" de hoje é o "quarentão" de ontem. Segundo a revista *Veja*:

> A combinação de experiência e vitalidade que até pouco tempo atrás caracterizava os quarentões agora também distingue homens e mulheres que ultrapassaram a barreira dos 50 anos... As consequências da mudança são as mais diversas. Fazem-se sentir no mercado de trabalho, nas universidades, na vida privada... Um número crescente de pessoas dá valor à bagagem de vida que acumularam. Como disse o satirista inglês P.G. Wodehouse, elas sabem que não existe cura verdadeira para os cabelos grisalhos e , por isso mesmo, fazem deles o melhor uso possível.[13]

---

[12] Disponível em: <http://www.velhosamigos.com.br/DatasEspeciais/diaavo7.html>. Acesso em 9 mar. 2011.

[13] "A Aurora dos Cinquentões", Veja, 9 de julho, 2008, p. 89.

Se 50 é o novo 40, então 60 é o novo 50 e 70, o novo 60. As evidências estão em todo lugar. A porcentagem da população de 50 a 69 anos do total de brasileiros está projetada a aumentar de 11,5% em 1998 para 17,7% em 2018.[14] O número de pessoas que ingressam na universidade depois dos 50 anos aumentou 136% entre 2000 e 2008.[15] E há cada vez mais avós na terra. Alguns estudos apontam o fato de que 70% das pessoas acima dos 65 anos são avós.[16] Hoje os avós têm possibilidades, recursos, saúde e disposição que muitos dos avós DELES nem sonhavam ter.

Veja como uma criança descreveu o fenômeno dos avós de hoje: "Quando vovó era menina, ela não fazia as coisas que meninas fazem hoje. Mas, ao mesmo tempo, os avós daquela época não faziam as coisas que as *vós* hoje fazem."[17] As projeções do IBGE (Instituto Brasileiro de Geografia e Estatística) sugerem que a população com 60 anos ou mais corresponderá a 12,9% da população em 2020 e 17,1% em 2030.[18]

Para alguns (inclusive na reportagem citada acima), essa diversidade de novas circunstâncias são oportunidades para os "velhos" investirem mais em si mesmos – mais atividade, mais educação, mais trabalho, mais exercício - do que em gerações passadas. Mas gostaríamos

---

14 Silvia Roger e Sandra Brasil, 'Velhice'? Fica para Mais Tarde", Veja, 9 de julho, 2008; p. 99.

15 Camila Pereira, "Veteranos se Tornam Calouros", Veja, 9 de julho, 2008; p. 97.

16 Palms, p. 117.

17 Declaração anônima de uma neta, citada em Lanese, p. 21.

18 Howard Hendricks, *O Outro Lado da Montanha*, nota do editor, p. 16.

de sugerir que esse "mais" pode também representar mais tempo, energia e recursos para investir no maior legado que os avós têm – seus netos!

À luz dessa nova realidade, notamos vantagens e desvantagens ao comparar os avós de hoje com os de ontem:

VANTAGENS

1. **Mais energia e disposição:** Os avós de hoje são como aqueles "fortalecidos pelo Senhor" que o profeta Isaías descreve: "Ele [Deus] fortalece o cansado e dá grande vigor ao que está sem forças. Até os jovens se cansam e ficam exaustos, e os moços tropeçam e caem; mas aqueles que esperam no SENHOR renovam as suas forças. Voam alto como águias; correm e não ficam exaustos, andam e não se cansam" (Isaías 40:29-31).

2. **Mais recursos:** Em termos gerais, os avós de hoje têm mais possibilidades de viajar, passear, brincar e comprar do que em gerações anteriores, facilitando o contato com seus netos e as opções de lazer em conjunto.

3. **Mais saúde:** Os avós de hoje têm uma expectativa e qualidade de vida maior que os avós DELES, e por isso podem projetar muitos anos de convivência com seus netos (e bisnetos!)

4. **Mais oportunidades:** O fato de mais esposas trabalharem o dia todo fora criou para muitos avós uma oportunidade ímpar de investir na vida dos seus netos como babás "segundo o coração dos pais".

DESVANTAGENS

1. Maior concorrência: Se no passado os avós tinham menos condições de acompanhar o ritmo de vida dos mais jovens, pelo menos tinham tempo disponível para estar com eles. Hoje, o vigor dos mais "experientes" faz com que continuem ocupadíssimos, e com menos tempo para investir nos netos.

2. Maior distância: A mobilidade dos nossos dias faz com que muitos avós morem longe de seus filhos e netos, criando um desafio grande para investir neles.

3. Menor "aposentadoria": O fato de muitos avós ainda trabalharem (por necessidade, por escolha própria ou por decisão do governo!) diminui o tempo disponível para os netos.

O desafio dos avós será minimizar as desvantagens e maximizar as vantagens dos dias em que vivemos. Se a vida começa aos 50, o melhor realmente está por vir.

Para discussão

- Quais são outras vantagens e desvantagens que os avós têm hoje, que talvez seus antepassados não tivessem?
- Leia 2 Tm 3:1-5. Quais as características dos "últimos dias" que mais afetam a vida da família (e dos avós) hoje?
- Leia Eclesiastes 12:1-8. Quais as dificuldades que a idade nos traz?
- Leia Isaías 40:29-31. Como que Deus renova as forças do seu povo?

3
O legado
dos avós

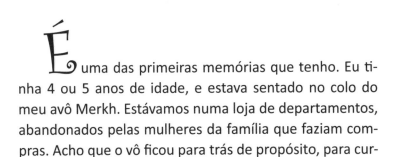

É uma das primeiras memórias que tenho. Eu tinha 4 ou 5 anos de idade, e estava sentado no colo do meu avô Merkh. Estávamos numa loja de departamentos, abandonados pelas mulheres da família que faziam compras. Acho que o vô ficou para trás de propósito, para curtir alguns minutos a sós com o neto.

Ele achou uma cadeira na entrada da loja e sentou-se comigo no colo. "Conta uma história, *vô!*" – disse eu.

Nunca me esqueci da história que *vô* Walter contou naquele dia. Foi sobre um homem bom, que amava a Deus com todo o coração. Um homem que Deus abençoava muito. Mas um dia, ele perdeu tudo que tinha: casa, bens, filhos, saúde. Mas não perdeu sua fé inabalável em Deus.

Aquele homem, que conhecemos pelo nome de Jó, deixou um legado que permanece para sempre. Hoje, entendo que eu também herdei um legado de um "Jó moderno", meu avô. Um homem simples que nunca completou o ensino médio. Trabalhou cinquenta anos na mesma fábrica de peças de cobre, martelando metal com seus braços fortes. Dizem que, quando faleceu, precisaram encomendar um caixão especial para encaixar seus ombros largos.

Mas o maior legado dele não foi a força física. Meu avô era um homem de Deus. Como diz Provérbios 14:26,

> No temor do SENHOR tem o homem forte amparo,
> E isso é refúgio para os seus filhos.

Assim como Jó, que *levantava-se de madrugada* e intercedia por sua família (Jó 1:5), o vô acordava todo dia entre 4 e 5 horas da manhã para ajoelhar-se ao lado do sofá e orar por nós. Quantas vezes eu me lembro de ter acordado de madrugada para buscar um copo de água ou ir ao banheiro só para encontrá-lo de joelhos, orando pelos filhos e netos.

Ele deixou também um legado de amor pela Palavra de Deus. Apesar do pouco estudo formal, devorava as Escrituras. Recentemente, descobri que ele memorizou livros inteiros da Bíblia: Efésios, Filipenses, Colossenses, Hebreus, Romanos, muitos dos Salmos e Provérbios.

O *vô* amava missões. Depois de sua aposentadoria, saía cedo de casa, no seu carro velho, e buscava pacotes de jornais velhos deixados para os coletores de lixo. Ele os vendia num centro de reciclagem. Tudo que recebia ia para missões. E eu o acompanhava, ouvindo suas histórias, inclusive sobre seu filho, meu tio, que era missionário na África. Sem perceber, herdei como legado o amor por missões e pelos campos a branquejar.

O *vô* amava a igreja. Era um dos presbíteros da nossa pequena congregação. Pregava ao ar livre, nas esquinas da cidade e passou pelo menos uma noite na cadeia por fazê-lo sem "licença" das autoridades americanas. Era ele quem dirigia o povo na celebração da Ceia do Senhor. E foi assim que ele morreu, aos 85 anos de idade, passando mal durante um culto de domingo, e logo em seguida, indo ao encontro do Senhor que tanto amava.

Que legado herdei do *vô* Walter! Só hoje percebo sua influência na minha vida. Ele amava a Palavra de Deus, e hoje sou professor de Bíblia. Ele intercedia pela família, e hoje nosso ministério tem focalizado o fortalecimento da família para a glória de Deus. Vivia e morreu na igreja, lugar que Deus tem nos dado o privilégio de servir como pastor durante muitos anos. O *vô* amava missões, mas não viveu o suficiente para ver seus netos e bisnetos, como nós, indo aos campos missionários do mundo.

Coincidência? Acho que não. O Salmo 112 explica o porquê:

> Bem-aventurado o homem que teme ao SENHOR e se compraz nos seus mandamentos. A sua descendência será poderosa na terra: será abençoada a geração dos justos [...] será tido em memória eterna [...] a sua justiça permanece para sempre... (Salmos 112:1,2,6,9).

O Sr. Davi Cox comenta sobre o posicionamento privilegiado dos avós entre as gerações:

> Os avós são um elo com a eternidade passada. Pode ser que os netos identifiquem o velho *vô* e a velha *vó* com o tempo de Cabral, João Batista ou Moisés. De fato, aqueles que conhecem a Cristo fazem parte dessa corrente que liga o Salvador da eternidade passada com o neto do presente. A história da redenção passa de pai para filho para neto.[19]

Infelizmente, são poucos os avós que fazem um esforço real e contínuo para investir na vida dos netos. Algumas pesquisas indicam que, apesar das melhores intenções ou esperanças, somente 20% dos avós têm de fato um relacionamento muito chegado com seus netos.[20]

Roger Palms, no capítulo intitulado "Cinco anos após a morte", faz uma série de desafios que devem ecoar nos pensamentos e nas orações de todos os avós:

> Cinco anos após a sua morte, as cartas que você escreveu, quem sabe se até poemas e crônicas de sua autoria, serão relidos [...] Cinco anos após a sua morte, que presente de aniversário ou de Natal [...] serão de novo observados, e aqueles momentos de doação simpática e altruísta emotivamente recordados? Um livro de histórias da Bíblia dado às crianças? Um presente para um neto que, agora crescido, recorda o quanto foi especial...?

---

[19] Davi Cox, em ...*É a Vovó*, Elizabeth Gomes (Brasília: Ministérios Refúgio, 2001), p. 8.

[20] Bosak, p. 13.

> Cinco anos após a sua morte, que conversas serão lembradas?
> Cinco anos depois de sua morte, quem encontrará um dos filhos ou netos e perguntará: "Oh, você é parente de...?" Então comentará o fato de anos antes você haver ensinado numa classe de Escola Dominical [...] e como sua ministração o ajudou; ou como você levou uma criança a Cristo; ou ajudou aquela pessoa com dinheiro, alimento ou remédio [...] ou fez uma visita muito reconfortante.[21]

Que legado você vai deixar para seus filhos, netos e bisnetos? Precisamos de uma nova (ou velha!) geração de "Jós" para repassar um legado que será lembrado para todo sempre.

Recordações

> Sou muito privilegiado por pertencer à família dos meus avós. O investimento deles em minha vida, sua orações e seu amor inspiram-me a viver de maneira que sintam orgulho: uma vida vivida para a glória do nosso Deus e Salvador. Eles nunca deixaram dúvidas de como queriam que a família vivesse, e consistentemente, exemplificaram suas crenças durante toda a minha vida. Eu os amo e tenho orgulho

---
21 Palms, p. 189.

deles. Espero mostrar, no decorrer dos anos, que seu investimento em mim não foi em vão.

Uma avó é alguém que ensina seus netos qual é seu legado; inculca neles esses valores quando conta as histórias da família, honrando assim as tradições familiares.

Um avô é alguém que vive o legado familiar... Lembro-me bem de quando o *vô* nos levou para o Amazonas em um ministério entre missionários e indígenas. Foi fantástico ficar exposto a novas culturas e aventuras, mas o que mais valorizei foi aprender do exemplo do meu avô, vendo como um servo de Deus pode ser usado, mesmo quando a situação não é fácil ou divertida. A viagem aprofundou o grande respeito que tenho pelos meus avós, por permitir que eu fosse testemunha, em primeira mão, de como eles têm impactado vidas durante mais de 45 anos de ministério.

Esse investimento sério em minha vida tem me impactado na maneira pela qual avanço em direção aos meus próprios alvos. Almejo honrar o legado que recebi deles. Assim como eles têm servido a Deus fielmente, quero honrar seu investimento em mim, servindo a Deus fielmente e fazendo com que eles tenham orgulho do investimento que fizeram. Que um dia possam testemunhar que não foi em vão.

Michael Cox, casado com Vanessa,
Mestrando em Física da Medicina, EUA

O legado dos avós

Para discussão

- O que vem à mente quando você ouve a palavra "Legado"?
- Até que ponto é saudável ficarmos preocupados com nosso legado?
- Você consegue traçar aspectos do seu caráter que "herdou" da convivência com seus avós? Já agradeceu a Deus pelo seu legado?
- Quais valores você gostaria de transmitir para seus descendentes? Já pensou em deixar esses valores anotados, como parte do seu legado para a próxima geração?

4
Envelhecendo

com graça (e gratidão)

Minha filha caçula acha que, quanto mais velho eu fico, mais melancólico me torno. Não somente eu, mas outros amigos meus, pessoas que, como eu, choram muito mais hoje do que no passado. Espero que seja sinal de maior sensibilidade e não só de velhice. Afinal de contas, prefiro ser um velho chorão a um carrasco durão.

Há uma escolha para quem já viu o sol nascendo e se pondo muitas vezes na vida: permitir que ele nos amoleça e não nos endureça. "O mesmo sol que derrete a cera endurece a massa." "O envelhecimento é principalmente uma questão mental; é sua atitude, não a sua idade."[22]

---
22 Hendricks, p. 12.

Todo mundo envelhece. Alguns envelhecem bem. Outros, mal. Alguns, com graça e gratidão. Outros, com remorso e reclamação. Henri Fréderic Amiel certa vez disse: "Saber como envelhecer é o trabalho magistral da sabedoria, e um dos capítulos mais difíceis na grande arte de viver."[23] Outra pessoa perguntou: "Qual seria sua idade se você não soubesse quantos anos tem?"[24]

Minha filha também acha que pessoas mais velhas só falam dos problemas (na coluna, nos joelhos, no intestino). Já cansou dos encontros de amigos em que relatamos os remédios que tomamos para pressão alta, ferro baixo, sono escasso, colesterol em excesso e joelhos fracos. Toda essa conversa me lembra da opinião de uma neta quando comentou sobre sua avó: "Minha avó e Papai Noel são minhas pessoas favoritas. Acho que têm mais ou menos a mesma idade."[25]

É vital aprendermos a lidar bem com o envelhecimento, como indivíduos, na igreja e na sociedade. Howard Hendricks, em seu livro *O outro lado da montanha*, sugere cinco razões porque a apreciação dos anos é importante:

1. Porque cristãos precisam de uma interpretação cristã do processo de envelhecimento.
2. Porque pessoas com mais de sessenta anos fazem parte do segmento que mais cresce entre a população de vários países.

---

23 Henri Fréderic Amiel, citado em Palms, p. 53.
24 Hendricks, p. 11.
25 Jessica, 5 anos, citada em Lanese, p. 38.

3. Pessoas mais velhas representam o maior recurso em potencial e a maior mão de obra disponível para nossas igrejas, mas elas são consistentemente ignoradas.
4. Pastores são chamados por Deus a pastorear a igreja toda.
5. Um grave abismo de gerações se desenvolveu com a mobilidade e a modernização da nossa sociedade, um vazio estranho aos padrões das Escrituras.[26]

A maneira pela qual ESCOLHEMOS envelhecer diz tudo sobre que tipo de legado deixaremos. *O ornato dos jovens é a sua força, e a beleza dos velhos as suas cãs* (Provérbios 20:29). As cãs representam experiência de vida, mas experiência em si não é suficiente para dar glória. O texto pressupõe sabedoria adquirida como resultado da experiência, fruto de experiências AVALIADAS e aplicadas numa vida digna. É o que diz Provérbios 16:31: *Coroa de honra são as cãs, quando se acham no caminho da justiça.*

> As gerações que nos sucedem estão à procura de modelos, de exemplos do que significa envelhecer na graça de Deus...
> No entanto, quando aqueles que estão mais velhos fingem que não o são, ou admitem sua idade, mas [supondo] que significa desistência, ou passar a viver dedicados a si mesmos, e se divertirem, o

---
26 Hendricks, p. 15-21.

> que acontece é que todo o mundo sai perdendo. Quem, afinal, serão os instrutores, os exemplos para os milhões que sabem que algum dia vão ser mais velhos também? Quem vai dar direção? Quem vai mostrar o pensamento e a vontade de Deus em relação a isso, quando disse: Até a vossa velhice eu serei o mesmo, e ainda até as cãs eu vos carregarei? (Isaías 46:6).[27]

Esse é um dos recados de um ancião, registrado num dos salmos bíblicos, Salmos 71, que alguns acham ser da autoria do grande e glorioso rei Davi. Perto do fim de sua vida, ele relata seu desejo de terminar bem, com graça e gratidão. Sabemos que o autor já era um homem idoso:

> Não me rejeites na minha velhice; quando me faltarem as forças, não me desampares [...]. Não me desampares, pois, ó Deus, até à minha velhice e às cãs... (v. 9, 18).

Também sabemos que havia experimentado muitas dificuldades em sua vida:

> Tu, que me tens feito ver muitas angústias e males, me restaurarás ainda a vida, e de novo me tirarás dos abismos da terra (v. 20).

Mas também, olhava para trás e via tantos livramentos, várias ocasiões que Deus o salvou dos apertos da vida. E louvava a Deus pelos livramentos que até passaram

---
27 Palms, p. 10.

despercebidos por ele. Assim como nós, o salmista sabia que Deus vigiava seus filhos e que ele havia escapado de inúmeras situações que nem reconhecia como perigosas – acidentes que nunca aconteceram, doenças que não vingaram, assaltos que não se sucederam.

> A minha boca relatará a tua justiça
> e de contínuo os feitos da tua salvação,
> ainda que eu não saiba o seu número (v. 15).

Somente na eternidade veremos o filme dos anjos acampados ao redor dos filhos de Deus, protegendo-os de males visíveis e invisíveis!

À luz dessa verdade, o salmista, homem de certa idade, clama a Deus em meio à angústia, confiante de que ele ouviria e agiria em favor do seu amado. O seu coração foi amolecido pelos anos, não endurecido pelas mágoas. Um coração grato pela graça de Deus tão abundante em sua vida, não azedo pelas aflições que havia experimentado.

Na hora da angústia, o salmista reconhece que Deus é a única fonte de esperança. Ele usa sofrimento para ensinar lições preciosas sobre sua graça, sobre seu amor. DEUS É BOM! Às vezes, precisamos de uma lembrança, um cartão postal do Senhor em forma de sofrimento, lembrando-nos de quanto ainda precisamos dele!

O amor fiel de Deus não nos permite ter autossuficiência! Ele não quer que vivamos sem ele! Mesmo na velhice, há momentos em que Deus precisa tirar os suportes, para ele mesmo ser o suporte. Então o desespero nos lembra de renovar nossa esperança nele! Serve como lembrança de que Deus nos ama, de que não nos abandonou, de que ainda cuida de nós!

> Em ti, SENHOR, me refugio... Sê tu para mim uma rocha habitável em que sempre me acolha; ordenaste que eu me salve, pois tu és a minha rocha e a minha fortaleza [...] Pois tu és a minha esperança, SENHOR Deus, a minha confiança desde a minha mocidade. Em ti me tenho apoiado desde o meu nascimento; do ventre materno tu me tiraste, tu és motivo para os meus louvores constantemente (v. 1, 3, 5, 6).

Não há hora melhor na vida para renovar sua confiança e sua dependência em Deus do que em momentos de desespero na velhice. É por causa do seu amor que ele não nos deixa mergulhar por muito tempo na lama da nossa própria soberba e autossuficiência.

> As maiores ansiedades desta vida devem produzir um anseio maior por Deus.

Note como o salmista cultivava o HÁBITO de louvar a Deus mesmo nas angústias da vida:

> Tu és motivo para os meus louvores CONSTANTEMENTE (v. 6).

> Os meus lábios estão cheios do teu louvor e da tua glória CONTINUAMENTE (v. 8).

Envelhecendo com graça (e gratidão)

Quanto a mim, esperarei SEMPRE e te louvarei MAIS E MAIS (v. 14).

A minha boca relatará a tua justiça e DE CONTÍNUO os feitos da tua salvação (v. 15).

Tu me tens ensinado, ó Deus, desde a minha mocidade; e ATÉ AGORA tenho anunciado as tuas maravilhas (v. 17).

Igualmente a minha língua celebrará a tua justiça TODO O DIA (v. 24).

E esse talvez seja o maior legado que podemos deixar para nossos filhos e netos: um legado de graça e gratidão (não mágoas e reclamação), mesmo em meio ao sofrimento.

Por isso ele declara:

Não me desampares, pois, ó Deus, até à minha velhice e às cãs; ATÉ QUE EU TENHA DECLARADO À PRESENTE GERAÇÃO A TUA FORÇA, E ÀS VINDOURAS, O TEU PODER (v. 18).

Será que as páginas da sua vida contam uma história de graça e gratidão? Você tem cultivado o hábito de falar bastante sobre os atos conhecidos e desconhecidos da bondade de Deus, que têm preservado sua vida até aqui? Leva a sério sua tarefa de proclamar as virtudes de seu Deus até o fim?

Fico feliz que minha filha ache que estou me tornando um chorão. Ela acha graça nisso. Eu acho que há graça nisso.

Para discussão

- Avalie essa declaração: A fidelidade de Deus no passado deve ser louvada no presente, para dar confiança no futuro.
- Leia Salmos 71:1-4. Quais os sinais de que o salmista estava em apertos?
- Leia Salmos 71:5-13. Quais as evidências de que o salmista confiava única e exclusivamente no Senhor durante toda a vida?
- Leia Salmos 71:14-28. Quais atitudes do salmista devemos imitar em meio à angústia?

5
Avós que
andam com Deus[28]

Chega até nós, vindo não se sabe de onde, um sussurro, um chamado débil, uma premonição de que existe uma vida mais rica, e sabemos que a deixamos de lado. Cheios de tensão em face do ritmo louco de nossas tarefas diárias, a pressão é ainda maior em decorrência da inquietação interior, porque percebemos insinuações de que há um estilo de vida imensamente mais rico e profundo do que toda essa existência apressada. Existe uma vida repleta de serenidade, paz e poder, sem pressa.

Thomas Kelly – *Um Testamento de Devoção*.[29]

---

28 Nosso amigo e ex-aluno, Pastor Adeildo Luciano Conceição colaborou com esse capítulo.

29 Citado por Gire, Ken. *Vida de Meditação*. Rio de Janeiro: Editora Textus, 2001. Página 13.

Perto da igreja onde ministramos, nos períodos de divulgação nos EUA, há um cemitério muito antigo. Várias vezes resolvi deixar o gabinete pastoral e dirigir-me até lá. Você pode achar isso estranho... mas enquanto passeio por suas alas, lendo as inscrições nas lápides, procuro imaginar como era a vida daquelas pessoas, alegrias, tristezas, famílias, carreiras... e como teria sido sua vida em relação a Deus.

Depois, penso sobre a minha vida. O que desejo que as pessoas saibam a meu respeito, após minha morte? Quem for ao cemitério e vir minha lápide, o que vai ler? Pensar na morte não é algo tão estranho, pois o próprio Salomão sugeriu que tal exercício é algo salutar para o homem:

> Melhor é ir à casa onde há luto
> Do que ir à casa onde há banquete,
> Pois naquela se vê o fim de todos os homens;
> E os vivos que o tomem em consideração (Eclesiastes 7:2).

Há outro cemitério que gosto de visitar. Este, porém, está na Palavra de Deus. Nele descobri que há, sim, esperança para pessoas que, como eu, desejam viver uma vida mais profunda e de verdadeiro significado. Este cemitério encontra-se em Gênesis 5.

Quando entramos nesse cemitério bíblico, encontramos um resumo da vida de várias pessoas. Na primeira quadra está o túmulo de Adão e sua lápide diz: *viveu ao todo 930 anos e morreu* (v. 5). Mais adiante encontramos o de Sete e a dele diz: *viveu ao todo 912 anos e morreu* (v. 8). Continuamos andando e encontramos os túmulos de Enos, Cainã, Maalaleel e Jarede. Em todos estes as palavras se repetem: *viveu tantos anos e morreu*.

De repente, encontramos um túmulo diferente. No lugar do triste refrão "e morreu", encontramos uma palavra que diz: "Enoque ANDOU COM DEUS".

> Aos sessenta e cinco anos, Enoque gerou Metusalém. Depois que gerou Metusalém, Enoque andou com Deus trezentos anos e gerou outros filhos e filhas. Viveu ao todo trezentos e sessenta e cinco anos. Enoque andou com Deus; e já não foi encontrado, pois Deus o havia arrebatado (v. 21-24).

A inscrição na lápide declara que o túmulo de Enoque está vazio!

Enoque e Elias são os únicos homens que a Bíblia menciona ter escapado da morte, pois Deus os tomara para si. Esse fato nos traz esperança. De fato, há uma vida mais profunda e cheia de significado! Não precisamos passar pelos ciclos viciosos de uma vida rotineira, seguida, fatalmente, pela morte; podemos andar com Deus! Por trás das nuvens negras da morte brilham pelo menos três raios de esperança para todos nós.

QUEM ANDA COM DEUS DESCOBRE O VERDADEIRO SENTIDO DA VIDA

Deus havia dito a Adão que sua desobediência acarretaria em morte. Porém, novecentos anos se passaram e Adão e

Eva ainda estavam vivos. O leitor de Gênesis 1 a 4 poderia perguntar: será que Satanás tinha razão ao afirmar que certamente eles não morreriam com sua desobediência? Mas o capítulo 5 vem comprovar a veracidade da advertência divina. *"E morreu..." "E morreu..." "E morreu..."* Ninguém escapou. Pelo menos até Enoque. A morte é a triste realidade da consequência natural do pecado.

Morte é o tema desse capítulo. O fato é que a morte nunca foi o plano de Deus para a humanidade. Em Gênesis de 1 a 3, vemos Deus como o bom Pai, com filhos e filhas feitos à sua semelhança, para serem abençoados com vida e com comunhão constante e amorosa. Porém, seus filhos desobedeceram e caíram debaixo da maldição da morte. A morte passou a reinar por causa do pecado. Aqueles que foram feitos para viver, são agora destinados para morrer, voltando ao pó, vítimas da serpente que agora também come pó.

A partir da queda, a vida perdeu o sentido. O homem entrou num ciclo de nascer, crescer, gerar filhos e morrer. E esse ciclo é monótono, ocorre oito vezes até chegarmos a Gênesis 5:24.

De repente, algo inédito acontece. Uma quebra dramática da narrativa é feita. Enoque não "morreu", ele andou com Deus, que o levou. Enoque não "viveu", ele "andou" com Deus. Andar com Deus está acima de um simples viver. O texto destaca duas vezes o andar com Deus para mostrar que a vida de Enoque foi a exceção no meio de homens que viveram sem sentido. A história de Enoque faz brilhar para nós um raio de esperança. Não precisamos nos entregar a uma vida insignificante. O segredo de uma vida significativa é andar com Deus.

Enoque rompeu o círculo vicioso, achou significado na vida muito acima de seus contemporâneos. Viveu como luz e sal da terra. Era ele uma pessoa que inspirava um verdadeiro raio de esperança em meio às trevas do pecado. Ele voltou a andar com Deus, mesmo estando fora do Jardim, como Adão e Eva. E hoje, Jesus nos propõe a mesma coisa: segui-lo para andar na luz e ter comunhão com ele (João 8:12,32).

QUEM ANDA COM DEUS DIRIGE SUA VIDA PELA FÉ

Como poderemos romper o ciclo que envolve: nascer, estudar, casar, trabalhar, ter filhos, aposentar-se e morrer? Em outras palavras, como vamos andar com Deus em cada uma dessas etapas da vida e transformá-las pela presença eterna e santa de Deus?

A vida de Enoque nos traz a resposta. Ela nos mostra a graça de Deus no meio de um dos capítulos mais tristes da Bíblia. Ali, a marcha fúnebre para de vez, e só ouvimos as cordas da vitória. Para escapar do aguilhão da morte, precisamos andar com Deus pela fé. Embora o autor não explique o que significa "andar com Deus", descobrimos mais tarde o que essa postura de vida implica.

Enoque não atingiu esse ideal de vida pelos seus próprios esforços, mas sim, pela fé. Conforme o autor de Hebreus, viver pela fé foi para Enoque seu segredo para estar com Deus (Hebreus 11:5,6). A maior prova da veracidade da nossa fé é o nosso andar com Cristo (Tiago 5:13,14).

Enoque tinha um Deus tão grande e um "eu" tão pequeno que a única opção para ele foi viver na sombra desse grande Deus. Ele não confiava em seus próprios pensamentos, sonhos e planos (Jeremias 17:9), mas confiava que Deus existe e que galardoa aqueles que andam com ele. Acreditava que valia a pena andar com Deus e nele confiar, apesar das pressões de sua sociedade pecaminosa.

O verbo hebraico que é traduzido em português como "andar" (Gênesis 5:21) traz a ideia de "passear para cá e para lá", sempre na presença de Deus. É o mesmo verbo usado para descrever Adão e Eva no Jardim. Também foi usado para Abraão em Gênesis 13:17, quando Deus mandou que ele examinasse a terra prometida. Abraão obedeceu e andou de uma extremidade à outra. Andar com Deus significa viver todos os momentos, tomar todas as decisões e avaliar todos os pensamentos na presença do Criador do Universo.

Ninguém anda com Deus puxando-o como uma criança puxa o pai para ir à loja de brinquedos. Não somos "colegas" de Deus. Na verdade, é ele quem nos dirige, guia e direciona e, nós, apenas o seguimos. Quem quer andar com Deus pela fé precisa entregar-lhe a escolha, ir aonde ele vai e fazer o que ele faz.

QUEM ANDA COM DEUS DEIXA UM PRECIOSO LEGADO PARA SUA FAMÍLIA

Jean-Pierre de Caussade afirmou:

> A vida dos que se abandonam em Deus é sempre misteriosa. Recebem presentes excepcionais e

miraculosos, entregues através das experiências mais comuns, naturais e casuais, nas quais não parece haver nada extraordinário. O sermão mais simples, a conversação mais banal, o livro menos erudito, tudo é fonte de conhecimento e sabedoria para estas almas, graças ao propósito de Deus. É por isso que, cuidadosamente, eles recolhem as migalhas que as mentes brilhantes menosprezam, porque para eles tudo é precioso, uma fonte de enriquecimento.[30]

Enquanto os que vivem sem Deus procuram saciar sua sede de sentido para a vida em coisas estranhas, aqueles que andam com Deus se deleitam, pela fé, com os detalhes mais rotineiros da vida, pois descobriram a verdade que Paulo mencionou: *Sabemos que todas as coisas cooperam para o bem daqueles que amam a Deus...* (Romanos 8:28). A presença de Deus ilumina cada detalhe de nossa vida e nos torna pessoas satisfeitas. Podemos agradecer a Deus pelo café da manhã, louvá-lo por nossa saúde, ser gratos pela blusa que vestimos no inverno... porque Deus está conosco e sentimos seu amor nesses detalhes da nossa vida.

A presença de Deus não apenas trará sentido para os detalhes da nossa vida, mas por meio dela, deixaremos um legado para nossa família. Metusalém, filho de Enoque, viveu até o ano do dilúvio mais do que qualquer outro homem na face da terra. Sua longevidade nos sugere que ele tinha aprendido com seu pai o que significava, primeiro,

---

30 Idem, página 23.

obedecer a Deus e, segundo, honrar aos pais (Efésios 6:3). Noé, bisneto de Enoque, e sua família, foram os únicos que se salvaram no dilúvio. Com certeza, aprendeu temer e honrar a Deus com sua família.

Existem presentes melhores do que esses? Sentido para vida que traz contentamento e felicidade e também um legado para a família que leva nossos descendentes para mais próximos de Deus. Só isso bastaria para desejarmos andar com Deus, mas há mais um presente: a vida eterna. Conta-se a história que um dia Enoque e Deus estavam passeando, como de costume, quando de repente, Enoque olhou para o relógio, viu que era tarde e disse: "Deus, é muito tarde, preciso voltar para casa". Porém Deus lhe respondeu: "Enoque, parece que estamos mais próximos hoje da minha casa. Que tal você pernoitar comigo?" E Enoque nunca mais voltou.

No nosso caso, podemos ganhar a vida eterna por meio de Jesus. Cristo afirmou:

> Em verdade, em verdade vos digo: Quem ouve a minha palavra e crê naquele que me enviou, tem a vida eterna, não entra em juízo, mas passou da morte para a vida . . . E a vida eterna é esta: que te conheçam a ti, o único Deus verdadeiro, e a Jesus Cristo, a quem enviaste (João 5:24, 17:3).

Hoje o mundo oferece uma série de coisas para dar sentido à vida: dinheiro, fama, tecnologia, drogas e sexo. Porém, aprendemos com Enoque que para o homem descobrir o verdadeiro sentido de sua vida basta voltar-se para o Criador e "andar com Deus". Sua vida então deixará de ser "terrena" e passará a ser "celestial".

Há frases que poderiam ser escritas no meu túmulo, mas acho que descobrimos nesse texto a melhor de todas: "Ele andou com Deus". Se você ou eu morrêssemos hoje, seria isso o que as pessoas falariam a nosso respeito?

Que essa seja a descrição das nossas vidas. Deus nos convida para esse tipo de comunhão constante com ele. Somente andando com o Senhor é que realmente "viveremos" e não apenas "existiremos" como seres criados por Deus. E esse é o passeio pelo cemitério da vida que deixará um legado para nossos filhos e netos.

Recordações

O avô é alguém que continuamente entrega sua família nas mãos do Senhor. Ele não se gaba de uma posição patriarcal, mas continua dando de si mesmo enquanto serve como líder espiritual e figura paterna para seus filhos e netos.

Amo meus avós porque, como meu Salvador, eles primeiro me amaram. Cada memória que tenho deles testifica o sacrifício completo e o investimento na vida dos seus filhos e netos. Além desse tremendo legado, tanto minha avó como meu avô, têm investido grandemente na vida de cristãos e não crentes ao redor do mundo. Não consigo imaginar duas pessoas mais fiéis à causa de Cristo.

Um exemplo disso foi nossa viagem para a floresta Amazônica com meu avô e meu primo mais velho, Davi. Foi uma experiência que nunca esquecerei. Meu avô, com seus 70 anos, mostrou resistência e disposição física fora de série. Mas também demonstrou mansidão e um espírito de líder-servo, características de um homem cheio do Espírito Santo. Durante três semanas dormimos em cabanas, barracas, ou em simples abrigos ao ar livre. Ao longo de um rio infestado de piranhas, visitamos quatro tribos indígenas diferentes e aplicamos mais de duzentas vacinas nos nativos. Todas as tribos tinham elos diretos com os bem-conhecidos Yanomami, um grupo temido antigamente pelo barbarismo e canibalismo.

Naquelas semanas lemos um livro juntos chamado, *O Espírito da floresta*. O livro mostrou em detalhes os atos violentos e hediondos do povo Yanomami, cometidos entre si mesmos e com estrangeiros. As lições que aprendi do meu avô durante esse período confirmaram que não sou melhor que um Yanomami assassino, adúltero e ciumento. O "Yanomami" dentro de cada um de nós precisa ser constantemente confrontado e transformado pela presença interior do Espírito Santo.

Se não fosse pelos meus avós, eu teria uma compreensão muito mais limitada da importância de fidelidade e compromisso para com a obra de Deus durante uma vida inteira. Sua fidelidade é tal, que três gerações depois, suas bênçãos ainda estão sendo compartilhadas por inúmeras pessoas. Amo meus avós muito e espero continuar aprendendo deles no Céu.

Timothy Cox
Oficial, Marinha dos EUA

Para discussão

- Leia Gênesis 5:21-24. O que significa "andar com Deus"? Quais as características esperadas na vida de alguém que "anda com Deus"?
- Você consegue lembrar-se de alguém que deixou grandes marcas em sua vida porque andava com Deus? Fale sobre essa pessoa. Quais as qualidades de caráter que você mais notou?
- Seus filhos e netos conseguem identificar em sua vida as marcas de alguém que anda com Deus? Há algo prático que torna essa marca mais visível?
- Leia Eclesiastes 7:2. O que você gostaria que fosse dito sobre sua vida depois de morto?

6
O ano 2260

e o legado espiritual

Há quase 2500 anos, o filósofo grego Heráclito disse: "O caráter de um homem é o seu destino." Tinha razão, mas poderíamos acrescentar: "E o caráter de um homem pode ser o destino da sua família."

Essas são boas notícias para alguns, porém, más notícias para outros. Provérbios nos lembra do valor de se ter um pai que é homem de Deus: *No temor do SENHOR tem o homem forte amparo, e isso é refúgio para os seus filhos* (Provérbios 14:26). Em outras palavras, o pai de caráter moldado por Deus dá aos filhos uma proteção contra muitos perigos.

Ao mesmo tempo, o pai que não possui o caráter lapidado por Deus pode acabar com sua família: "A casa dos perversos será destruída, mas a tenda dos retos florescerá" (Provérbios 14:11). Somente a graça de Deus pode livrar de um círculo de destruição e perversão vindo do pai. Mas, pela graça de Deus, o círculo vicioso PODE ser interrompido!

A "maldição de família", que alguns pregam hoje, não é uma ênfase bíblica, mas sim, a "bênção de família", ou seja, a mensagem da graça de Deus que estende misericórdia para famílias carentes: "Eu sou o SENHOR teu Deus, Deus zeloso, que visito a iniquidade dos pais nos filhos até à terceira e quarta geração daqueles que me aborrecem, e faço misericórdia até mil gerações daqueles que me amam e guardam os meus mandamentos" (Êxodo 20:5,6).

Enquanto um pai perverso pode influenciar negativamente seus descendentes por três ou quatro gerações (se a graça de Deus não intervir), um homem com coração voltado para Deus verá a misericórdia de Deus derramada em sua família durante mil gerações, ou seja, entre vinte e quarenta mil anos!

Como pais e avós, esse princípio da Palavra de Deus deve nos animar. Como almejo ver não somente meus filhos, mas meus netos... e bisnetos... e tataranetos... andando com o Senhor! Que herança tremenda para deixar na terra! Que impacto a família pode ter para eternidade! Como o sociólogo Neil Postman comentou: "Filhos são as mensagens vivas que enviamos para um tempo que nós mesmos nunca veremos."[31]

Uma história quase esquecida na Palavra de Deus ilustra o poder do legado de uma pessoa que teme a Deus. Em Jeremias 35, Deus condena a desobediência do povo de

---

31 Neil Postman, The Disappearance of Childhood (New York: Delacorte Press, 1982; p. xi).

Judá numa série de profecias e advertências duras. Mas não adianta. O povo rebelde não dá ouvidos ao Senhor. Então, Deus chama o profeta Jeremias para dar uma lição objetiva no povo de Judá através de uma família relativamente insignificante de nômades, a família dos Recabitas. A história deles motiva-me a ser um pai e avô que deixa marcas no mundo por meio da minha família.

Os Recabitas eram descendentes de Recabe, que viveu durante o reino perverso de Israel. Jonadabe, filho de Recabe, era amigo do rei Jeú, que iniciou uma reforma parcial em Israel quando destruiu os adoradores de Baal (2Rs 10:15-23). Mas, quando a reforma de Jeú parou, Jonadabe continuou adiante, desencadeando uma reforma completa, a começar com sua própria família. Ele deu ordens para seus filhos e todos os seus descendentes, que hoje parecem estranhas para nós: não beber vinho, não edificar casas e não fazer nenhuma plantação. Em vez disso, teriam que viver para sempre como nômades, peregrinos na terra.

Não entendemos todas as razões por trás dessas ordens, mas naqueles dias de caos espiritual fica evidente que Jonadabe queria proteger a sua família da corrupção, tanto urbana quanto rural, preferindo a vida de abstinência e simplicidade. Tomou providências para preservar o nome da família por intermédio de uma reforma corajosa que começou em sua própria casa.

Mas, o importante nesta história não é o que Jonadabe exigiu dos seus descendentes, e sim, que conseguiu transmitir valores de geração à geração. Valores como obediência, honra e respeito pelo ensino do pai e avô.

Em Jeremias 35, Deus envia o profeta Jeremias com um teste: tentar convencer os Recabitas a beberem vinho na casa de Deus. Mas eles se recusam, baseados na ordem do seu "pai", Jonadabe. O que é incrível, é que nesta altura, cerca de 250 anos já tinham se passado! Imagine! Havia entre seis a dez gerações entre Jonadabe e os Recabitas. Em todos esses anos, nenhum deles se apartou da instrução do seu "avô"!

Em termos contemporâneos, seria como se meus "nono avós", Matthäus Merkh e Maria Agatha Buhl, casados em Reutlingen, Alemanha, no dia 30 de janeiro de 1719, tivessem iniciado uma tradição espiritual que continuasse até hoje (infelizmente, não sei de nenhuma). Além de superar as pressões e tentações de um mundo inimigo e hostil, a própria transmissão dessa tradição seria complicadíssima. Qualquer um que já brincou de "telefone sem fio" (em que uma mensagem é sussurrada de um para outro) sabe como é difícil acertar a mensagem original. Mas os Recabitas fizeram exatamente isso.

Em vez de olhar para trás, e talvez não encontrar muito legado "espiritual" para repassar, prefiro olhar para frente. Será que eu sou um Jonadabe, pronto para iniciar uma "mensagem" que ainda será transmitida daqui a 250 anos, em 2260? Será que você, cujo coração já foi aquecido pela graça de Deus, pode ser fiel na transmissão de sua fé e de valores bíblicos para que seus descendentes andem nos caminhos do Senhor em 2260?

Pense só em termos de números envolvidos na questão: se um homem casasse com 25 anos de idade e tivesse dois filhos e se seus descendentes seguissem esse padrão, haveria um total de 1024 descendentes vivos na terra, testemunhas fiéis à graça de Deus daqui a 250 anos, e um total de mais de 2000 descendentes ao longo daqueles anos - um legado forte de Recabitas futuros!

A fidelidade, a obediência e a honra aos pais, exemplificadas pelos Recabitas, foi um testemunho muito marcante para o povo de Judá, cuja infidelidade, desobediência e desonra a Deus e aos seus profetas levou-os à destruição. No final da história, o profeta pronuncia a bênção divina sobre a família dos Recabitas, que nos lembra de como Deus honra o pai cujo coração pertence a ele:

> Assim diz o SENHOR dos Exércitos, o Deus de Israel: Pois que obedecestes ao mandamento de Jonadabe, vosso pai, e guardastes todos os seus preceitos, e tudo fizestes segundo vos ordenou, por isso assim diz o SENHOR dos Exércitos, o Deus de Israel: Nunca faltará homem a Jonadabe, filho de Recabe, que esteja na minha presença" (Jeremias 35:18,19).

O legado dos Recabitas continua nos desafiando. Quero fazer todo o possível para que meus descendentes andem nos caminhos do Senhor. Quero ensiná-los a Palavra de Deus. Quero viver uma vida exemplar perante eles, de piedade, de integridade e de confissão dos meus pecados. Quero estabelecer tradições familiares saudáveis, que transmitam as histórias da fidelidade de Deus à nossa posteridade para sempre.

Deus ainda está despertando famílias de Recabitas, através de pais com coragem de ser diferentes dos demais. "O caráter de um homem é o destino de sua família." Que Deus nos dê homens e mulheres com caráter lapidado pela graça de Deus e transmitido para a próxima geração . . . e a próxima . . . e a próxima . . . e a próxima . . .

Recordações

Não tenho palavras para dizer o quanto aprecio meus avós. De forma surpreendente, minha apreciação tem crescido desde que eu me "formei" no Dia da vovó, porque tenho visto como realmente sou abençoado.

Cada vez que compartilho na faculdade sobre minha família, menciono o Dia da vovó e o tempo com nossos avós e com toda a família. Quando falo dos momentos que todos os netos passavam juntos, como meus primos se tornaram meus melhores amigos, e como a *vó* investia tempo em dez ou mais netos (incluindo adolescentes), só posso agradecer a Deus por ser tão abençoado! Meus avós me inspiram a continuar esse legado incrível.

Cresci ouvindo meu pai falar do exemplo que meus avós têm sido para ele e que, em grande parte, foi por causa deles que ele se envolveu no ministério com famílias, e continuou esse legado em nossa família. Sou grato pela avó e pelo avô que andaram a segunda milha para amar mais uma geração – seus netos. Muito mais que brincadeiras e vídeos, passar tempo com meus avós me ensinou muito sobre vida, amor e responsabilidade.

Stephen Merkh (19 anos, seminarista)

EXEMPLO DE UM LEGADO FAMILIAR

Certamente os valores familiares são transmitidos tanto pelo que falamos como pelo que fazemos. Mas também podem ser preservados no papel. Não que um legado escrito garantirá o seu cumprimento mais que o legado verbal, mas pelo menos, deixará muito claro quais são os valores, as crenças e as responsabilidades de cada um.

Para ajudar vocês a escreverem seu próprio legado, incluímos aqui aquele que serve nossa família desde 1998, e que resume os valores que gostaríamos que fossem repassados de geração à geração. Está em duas partes; a primeira, nossas crenças e nossos compromissos para com nossos filhos, netos e bisnetos; a segunda, o que pedimos dos nossos filhos.

Quando nossos filhos se casam ganham uma cópia desses documentos numa moldura para ser pendurada em sua casa.

O Compromisso para com nossos descendentes

Com a capacitação de Deus, e em sua graça, nós nos comprometemos com vocês a realizar o exposto abaixo e, da mesma forma, passamos a vocês a responsabilidade de aplicar estes princípios em seus lares:

Prometemos ensiná-los a Palavra de Deus, totalmente suficiente para protegê-los e provisioná-los para qualquer desafio, dirigindo-os para as veredas da justiça.

Prometemos discipliná-los focando a necessidade de seus corações, e dirigindo-os à graciosa provisão de Deus para salvação e santificação, por meio da obra redentora de Cristo:

- Prometemos envolvê-los com uma instrução baseada na vontade de Deus, disciplinando vocês, a fim de que se tornem homens e mulheres que O conhecem, O temem e seguem Seus mandamentos.

- Prometemos castigá-los de uma forma consistente e coerente à Palavra de Deus, estabelecendo limites bíblicos, e motivando uma obediência imediata, inteira, com a convicção do que é certo e honroso, e sempre almejando uma completa restauração do nosso relacionamento.

- Prometemos ajudá-los a descobrir o que significa viver pela graça, como filhos aceitos e amados pelo Pai Celeste, seguros de sua posição em Cristo.

O ano 2260 e o legado espiritual

Prometemos prover a vocês um lar que seja um refúgio santo, onde sempre serão bem-vindos e aceitos, onde poderão ouvir a voz de Deus e caminhar com ele. E o quanto estiver ao nosso alcance, prometemos protegê-los de sofrimentos.

Prometemos pedir perdão quando falharmos em cumprir esses e outros compromissos assumidos com vocês, buscando a reconciliação com vocês e com Deus.

Prometemos estabelecer memoriais familiares e tradições que fortaleçam nossos laços, um com o outro, e com o Senhor.

Prometemos diligentemente transmitir a vocês uma herança profundamente cristã, a qual nós mesmos recebemos de nossos pais, avós e de nossa ascendência como um todo.

Esse acordo e essas promessas nós passamos para vocês e para todos os nossos descendentes, até o fim dos tempos. Desafiamos vocês a manterem uma cópia desse legado para seus filhos, para que esses valores e princípios sejam fielmente transmitidos a cada geração da nossa família até o retorno do Senhor Jesus Cristo.

16 de abril de 1998
David e Carol Sue Merkh

O compromisso dos filhos para com os pais e avós

As incumbências que David e Carol Sue Merkh transmitem a todos os seus descendentes, até o retorno de Cristo para sua igreja.

Conscientes da graça capacitadora de Deus, nós abaixo comissionamos nossos filhos, e os filhos de seus filhos, e os filhos desses, e às demais gerações posteriores a: caminhar na presença de Deus todos os seus dias, viver pela graça como filhos amados, viver pela fé e não por vista, permitir que a vida de Cristo seja vivida em sua vida, pelo controle do Espírito Santo, no consultar da Palavra de Deus que promove a semelhança do Senhor Jesus Cristo.

Nós incumbimos nossa família, pela graça de Deus e em Sua força:

- A permanecer constante na leitura da Bíblia e na oração individual.
- A ser fiel à igreja local onde congrega, contribuindo e ministrando.
- A "fazer o trabalho de um evangelista".
- A lançar sementes de edificação e não reclamar ou ser conivente com fofocas.
- A guardar seus lares contra a infiltração do mal, especialmente em escolhas de

entretenimento; guardando suas mentes e corações de tudo que é impuro ou que desagrada a Cristo.

- A dar primazia a Cristo em seus lares, falando e ensinando sobre ele a seus filhos, durante todo o dia, tanto formal como informalmente.

Cabe a cada um de vocês evitar más companhias; procurar cônjuges com um proceder coerente à Palavra de Deus e compromissados com o Corpo de Cristo (Igreja); nunca contrair matrimônio sem a expressa aprovação da sua família; honrar seus pais e avós; cuidar deles em suas variadas necessidades e quando em idade avançada; cuidar dos membros de sua família em tribulações e dificuldades.

16 de abril de 1998
David e Carol Sue Merkh

Para discussão

- Como você entende a declaração de Neil Postman: "Filhos são as mensagens vivas que enviamos para um tempo que nós mesmos nunca veremos"?
- Leia Jeremias 35 à luz das explicações acima. O que mais impressiona sobre o legado dos Recabitas?
- Quais os princípios básicos e essenciais que você gostaria que marcassem a vida de todos os seus descendentes?
- Leia Êxodo 20:5,6. A ênfase do texto está nas consequências de um legado "ruim", ou na misericórdia de Deus? Como esse texto serve de encorajamento?

7
Passando

o bastão da fé[32]

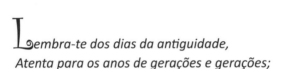

Lembra-te dos dias da antiguidade,
Atenta para os anos de gerações e gerações;
Pergunta a teu pai, e ele te informará,
Aos teus anciãos,
E eles to dirão (Deuteronômio 32:7).

Faltavam apenas dez minutos para o final do jogo quando o técnico do nosso time descobriu que alguns dos seus jogadores mais novos precisavam ainda de muito treino. Eu havia acabado de entrar em campo e saltei o mais alto que pude numa disputa de bola com o adversário. Inexperiente, ao invés de cair em pé, retornei ao planeta Terra pela extremidade oposta. Recordo-me vagamente do que aconteceu nos momentos seguintes. Quando acordei, eu não me lembrava do local onde estávamos e, pior ainda,

---

[32] Adaptado do livro 101 Ideias Criativas para o Culto Doméstico, David J. Merkh e Carol Sue Merkh (Hagnos).

mais tarde descobri que minha alegria pela nossa "vitória" não era nada apropriada — havíamos perdido o jogo por quatro a zero. Eu me tornara vítima da amnésia.

Qualquer pessoa que tenha experimentado um período de amnésia conhece a sensação desconcertante de acordar de repente e perceber que uma parte de sua vida foi apagada da memória. Que tragédia! Contudo, uma tragédia ainda maior persegue hoje inúmeras famílias cristãs. Acreditando-se vencedoras, descobrem que estão prestes a perder a batalha pela preservação da lembrança mais preciosa do nosso legado espiritual. A amnésia espiritual apaga da nossa mente a lembrança de Deus.

Identificamos um padrão que parece se repetir com certa frequência entre as famílias crentes:

> A primeira geração conheceu a Deus.
> A segunda geração conheceu fatos acerca de Deus.
> A terceira geração não conheceu a Deus.

O desvio da fé por parte dos filhos não começou com a chegada da televisão, do rock ou da cultura de drogas. Há quatro mil anos, Moisés, por inspiração divina, previu o problema e deu o seguinte aviso ao povo de Israel: "Havendo-te, pois, o SENHOR teu Deus introduzido na terra que, sob juramento prometeu dar a teus pais [...] quando comeres e te fartares, guarda-te para que não esqueças o SENHOR, que te tirou da terra do Egito, da casa da servidão" (Deuteronômio 6:10-12).

O perigo de então é o perigo de agora. As pessoas naturalmente se esquecem do SENHOR. O vírus da prosperidade amortece os sentidos e provoca a amnésia espiritual.

Passando o bastão da fé

A maior ameaça dessa enfermidade é a sutileza com que contamina. Quem iria imaginar que os filhos e netos da comunidade que passou pelo deserto abandonariam o SENHOR que havia tirado o seu povo do Egito? Israel esqueceu-se do seu Deus no decorrer de uma geração. Juízes 2 registra que aquela geração que havia visto todos os feitos grandiosos de Deus em favor de Israel serviu a Ele, mas "outra geração após deles se levantou, que não conhecia ao SENHOR, nem tampouco as obras que fizera a Israel" (Juízes 2:10).

Será que o esquecimento vem da noite para o dia? Dificilmente. A prosperidade e a negligência dos pais e avós em transmitirem às gerações seguintes as palavras e os feitos de Deus criam um contexto favorável para a amnésia espiritual. Deveríamos ficar profundamente sensibilizados e preocupados diante do fracasso de Israel. Se os filhos e netos daqueles que tiveram tantas experiências marcantes com Deus esqueceram-se dele, como escaparão os nossos filhos e netos? Como alcançaremos vitória sobre a amnésia espiritual?

Quando nos tornamos avós pela primeira vez, aumenta nossa ciência de que fazemos parte de uma correnteza de humanidade, e reconhecemos a importância da continuidade da vida. "Novos avós, adquirindo a perspectiva que vem ao assistir as gerações se passando, conseguem ver a si mesmos como um elo vital entre Éden e a eternidade numa maneira não tão claramente vista como pais."[33]

O tratamento preventivo consiste em tomar vacinas, injeções da Palavra de Deus recebidas dentro do lar. Deuteronômio 6:4-9 prescreve que a Palavra de Deus e a

---
33 Eric Wiggin, *The Gift of Grandparenting*, p. 3.

lembrança dos seus feitos dominem de tal forma a vida dos crentes que seus pensamentos e palavras naturalmente se voltem para Deus durante o dia todo. O cristianismo do "um ao dia" - uma breve oração antes das refeições, uma leitura bíblica diária ou a frequência regular ao culto do domingo - não é suficiente para deter a imensa onda de pressão que incita os jovens a abandonar a fé. Deus pede mais do que um interesse ritualista em sua Palavra. Sua receita prescreve um interesse vivo na Pessoa dele e requer espontaneidade e criatividade, além de exercício na piedade.

> Ouve, Israel, o SENHOR nosso Deus é o único SENHOR. Amarás, pois, o SENHOR teu Deus de todo o teu coração, de toda a tua alma, e de toda a tua força. Estas palavras, que hoje te ordeno, estarão no teu coração; tu as inculcarás a teus filhos, e delas falarás assentado em tua casa, e andando pelo caminho, e ao deitar-te e ao levantar-te. Também as atarás como sinal na tua mão e te serão por frontal entre os teus olhos. E as escreverás nos umbrais de tua casa, e nas tuas portas (Deuteronômio 6:4-9).

O texto acima nos dá algumas dicas sobre esse processo:

- A instrução familiar deve ocorrer com o objetivo de desenvolver em nossos filhos e netos o amor a Deus (v. 5), prevalecendo sempre a qualidade e não

necessariamente a quantidade. O tédio é um hóspede indesejado no tempo devocional familiar.
- O amor a Deus cresce pelo conhecimento da sua Palavra (v. 6). Já que conhecer os mandamentos de Deus é um pré-requisito para obedecer a eles, a instrução familiar deve oferecer tanto conteúdo como aplicação.
- O conhecimento da Palavra de Deus acontece quando os pais e avós ensinam a Bíblia com diligência (v. 7). O método divino para o treinamento de homens e mulheres piedosos começa no "seminário do lar". A escola dominical, os clubes bíblicos, as escolas evangélicas, os acampamentos e ainda outros programas podem complementar o treinamento doméstico, mas nunca substituí-lo. Deus responsabiliza a família em primeiro lugar por passar adiante o legado da fé cristã.
- A família precisa estar envolvida com Deus até o ponto de pensamentos e conversas se voltarem naturalmente para ele durante o dia inteiro. Conforme o versículo 7, há duas ocasiões especialmente propícias ao treinamento espiritual:

  – **A qualquer hora.** A instrução não deve ficar limitada a uma devocional após o café da manhã ou uma história antes de dormir. Até mesmo os momentos mais rotineiros da vida - "quando você se assenta em casa e quando anda pelo caminho" - oferecem ocasiões para reflexão teológica espontânea e criativa. Por exemplo, as formigas que carregam suas migalhas podem estimular uma discussão sobre a diligência. A descoberta de um cãozinho perdido pode ser oportunidade para uma conversa sobre a alegria que Deus sente pela salvação de pecadores perdidos (Lucas. 15).

– **Nas horas mais favoráveis ao ensino**. Os teóricos do aprendizado confirmam aquilo que estudantes vêm percebendo há anos: os últimos pensamentos da noite costumam ser os primeiros da manhã e os primeiros pensamentos da manhã ecoam na mente durante o restante do dia. Deus pede para si esses momentos do dia especialmente apropriados para o treinamento formal e informal. Os pais e avós que querem combater a amnésia espiritual devem iniciar e terminar cada dia falando do SENHOR aos seus filhos e netos, além de fazer todo esforço para preencher o dia com reflexão espontânea sobre a sua Palavra.

• A família precisa cercar-se de recordações constantes da Palavra de Deus (v. 8, 9). Os fariseus consideraram tais ordens de modo tão literal que seus filactérios (pequenas caixas que continham versículos bíblicos) se tornaram símbolos de hipocrisia e não de piedade. É claro que o fracasso dos fariseus não significa que devemos rejeitar a aplicação prática desses versículos.

Qual o papel dos avós em tudo isso?

Passando o bastão da fé

Veja como uma menina descreveu um processo que Deus ordenou há muito tempo atrás:

> Minha bisavó contou para minha vó a parte [da vida] que ela viveu e minha *vó* não, e minha *vó* contou para minha mãe o que ambas viveram; minha mãe me contou o que todas elas viveram e devemos repassar tudo isso de geração à geração para ninguém esquecer.[34]

De acordo com salmo 78, eles iniciam o repassar do bastão da fé e continuam contando as histórias da fidelidade de Deus para seus filhos, netos e bisnetos:

> O que ouvimos e aprendemos
> O que nos contaram nossos pais,
> Não o encobriremos a seus filhos;
> Contaremos à vindoura geração
> Os louvores do Senhor, e o seu poder,
> E as maravilhas que fez. [...]
> Ele [...] ordenou a nossos pais
> Que os transmitissem a seus filhos,
> A fim de que a nova geração os conhecesse,
> Filhos que ainda hão de nascer
> Se levantassem e por sua vez os referissem
> aos seus descendentes;
> Para que pusessem em Deus a sua confiança
> E não se esquecessem dos feitos de Deus
> Mas lhe observassem os mandamentos (v. 3-7).

---

34 Gayle Jones, citada em Lanese, p. 17.

Certa vez uma amiga avó disse o seguinte:

> Aos meus descendentes desejo deixar os tesouros de fidelidade, idoneidade e aptidão para o aprendizado da Palavra de Deus a fim de que possam ensiná-la a outras pessoas, que por sua vez a transmitirão ainda a outras. Se puder deixar uma casa, ou um anel, ou alguns livros, muito bem – mas a herança que faço questão de prepará-los para receber é incorruptível, imperdível.[35]

ALGUMAS SUGESTÕES PRÁTICAS

Os avós têm uma posição privilegiada na corrente da transmissão da fé. Sua experiência, suas histórias e a natureza "especial" do seu tempo com os netos dão credibilidade e oportunidades que os pais nem sempre têm. Por isso, devem "remir o tempo" para inculcar o amor por Deus e sua palavra na vida dos netos.

Para dinamizar esses tempos especiais, oferecemos algumas sugestões. (Para mais ideias, consulte nosso livro *101 Ideias criativas para o culto doméstico*. Editora Hagnos.)

1. **Seja criativo e flexível.** Certamente não queremos ser palhaços "barateando" a Palavra de Deus. Mas não há nada de espiritual em cansar nossos netos com a Palavra. O devocional familiar exige criatividade - aquela criatividade que vem do próprio Deus,

---

[35] Gomes, p. 47.

de quem fomos criados à imagem e semelhança. Para ser equilibrado e criativo, os avós devem ser flexíveis e estar atentos para aproveitar oportunidades especiais e mesmo inesperadas para semear a Palavra de Deus no coração dos netos.

2. **Seja breve.** Em termos gerais, momentos de devocional familiar devem durar de 5 a 10 minutos quando os netos são pequenos. Se determinada ocasião ou ambiente for especialmente propício, é possível estendê-los por mais tempo, mas devem ser exceções e não regra.

3. **Seja informal.** Momentos para instrução familiar devem ser vivos e, conforme Deuteronômio 6:4-9, espontâneos e naturais. Conte as histórias da fidelidade de Deus em sua vida. Conte as histórias bíblicas de forma real e dramática.

4. **Seja prático.** Um dos erros mais comuns na transmissão da fé é a preocupação excessiva com o conteúdo e a deficiência na aplicação. Em outras palavras, ficamos satisfeitos quando enchemos o cérebro da criança com informações sobre a Bíblia e esquecemos-nos de mirar o coração para promover mudança de vida. Mudança concreta na vida deve ser o alvo de todo estudo bíblico: *Tornai-vos, pois, praticantes da Palavra, e não somente ouvintes* (Tiago 1:22).

O Dr. Howard Hendricks conta a história do pregador inglês Richard Baxter. Durante três anos esse homem, altamente capacitado por Deus, pregou de todo o seu coração a um povo rico e sofisticado, mas sem resultados visíveis. Finalmente, Baxter clamou a Deus: "Senhor, faz algo por esse povo ou então eu morro." Conforme relato do próprio pregador, foi como se Deus tivesse respondido em voz bem alta e recomendado a ele: "Baxter, você está trabalhando no lugar errado. Está esperando que o avivamento venha por meio da igreja. Tente pelo lar." Baxter começou a visitar os lares, ajudando famílias a organizar um "altar familiar", até que o Espírito Santo ateou fogo naquela congregação e fez dela uma igreja forte.

Andamos preocupados em nossos dias com "avivamento" e "reavivamento". Mas será que estamos esperando que a igreja faça aquilo que deve ter início no lar? Será que estamos trabalhando no lugar errado, como se uma "experiência emocional" nos desse espiritualidade instantânea? Ou será que o verdadeiro avivamento virá pelo esforço de pais e avós dedicados ao treinamento espiritual dos filhos e netos no contexto da família? Nós que amamos a Deus de todo coração, devemos transmitir nossa fé à próxima geração. Que Deus nos dê avós comprometidos em promover um avivamento que comece na sua família, e de lá se espalhe para toda a igreja brasileira, chegando até os confins da terra. É a única maneira que temos de evitar "amnésia espiritual".

Para discussão

- Até que ponto os AVÓS continuam tendo responsabilidade pela transmissão da fé aos seus descendentes?
- Leia Deuteronômio 6:1-9. Note a sequência de verbos. Procure relacionar cada sentença e seu verbo com o anterior. Qual a mensagem do texto?
- Leia Salmos 78:1-8. Quais os benefícios de quem repassa o legado da sua fé à próxima geração?
- Quais são as maneiras práticas pelas quais os avós podem ainda semear as histórias da fidelidade de Deus e da Palavra de Deus na vida dos seus netos?

8
Avôs

intercessores

Talvez um dos acontecimentos que causa mais orgulho no avô ou na avó seja quando o neto tenta imitá-los. O *vô* pega um martelo e prego, e o neto faz igual. A *vó* dobra um cobertor para cobrir a neta e ela faz o mesmo com sua boneca.

De vez em quando, os netos nos envergonham quando nos imitam. Certa vez, uma avó pediu que sua neta orasse antes da refeição, com várias visitas em casa. "Mas não sei o que orar" ela respondeu. Sua avó disse, "Diga o que você sempre ouve sua mamãe falando para Papai do céu." Então a filha orou, "Ó meu Deus, por que convidamos tanta gente para almoçar aqui em casa...?"

Apesar da vergonha que às vezes passamos, temos a responsabilidade de impactar gerações para serem transformadas à imagem de Cristo Jesus (Romanos 8:29). Assim como o apóstolo Paulo declarou em 1Coríntios 11:1: *Sede meus imitadores, como também eu sou de Cristo*, os avós devem ser modelos do Senhor Jesus Cristo para os netos.

Podemos chamar isso "o sacerdócio do lar". Deus nos concedeu o privilégio e a responsabilidade de impactar a alma daqueles pequeninos que ele mesmo colocou em nosso aprisco.

É interessante traçar os paralelos entre o papel do pastor de igreja (a família de Deus) e o papel dos líderes da família. Embora encarregue os pais destas responsabilidades, também cabe aos AVÓS desempenhar um papel de apoio e pastoreio, mesmo à distância.

Há pelo menos três responsabilidades paralelas entre o papel do pastor e dos pais/avós. Dessas, uma parece ser particularmente apropriada para os avós.

1. INSTRUÇÃO

Pais e mães, avôs e avós estão sempre ensinando as crianças pelas palavras, pelas ações e pelas atitudes. É impossível escapar do olhar dessas pequenas ovelhas, que admiram tanto seus "pastores". Sempre transmitimos o que somos para elas. Com o tempo, os filhos se tornam o que nós somos.

Já vimos o perigo da "amnésia espiritual", a doença que aflige os filhos de pais e avós que não se esforçam em transmitir sua fé para a próxima geração. Ouça as palavras do Salmos 78. Elas descrevem o envolvimento de múltiplas gerações na vacinação contra essa doença terrível na família:

> *O que ouvimos e aprendemos,*
> *o que nos contaram nossos pais,*
> *não o encobriremos a seus filhos;*
> *contaremos à vindoura geração*
> *os louvores do SENHOR, e o seu poder,*
> *e as maravilhas que fez.*
> *Ele estabeleceu um testemunho em Jacó,*
> *e instituiu uma lei em Israel,*
> *e ordenou a nossos pais que os transmitissem*
> *a seus filhos,*
> *a fim de que a nova geração os conhecesse,*
> *filhos que ainda hão de nascer se levantassem*
> *e por sua vez os referissem aos seus descendentes;*
> *para que pusessem em Deus a sua confiança*
> *e não se esquecessem dos feitos de Deus,*
> *mas lhe observassem os mandamentos...*(v. 3-7).

Conforme esses versículos, os pais e avós aproveitam toda oportunidade para ensinar aos filhos e netos os valores e princípios bíblicos transmitidos pelo Supremo Pastor. Ensinam a Palavra de maneira formal e informal, proposital e espontânea, em todo lugar e em qualquer lugar, em todo tempo e o tempo todo. Não é fanatismo fingido, mas um estilo de vida exemplificado, que avalia toda a vida por uma perspectiva bíblica. "Quem ama a Deus de todo coração, transmite sua fé à outra geração!"

2. INTERVENÇÃO (CORREÇÃO)

A segunda responsabilidade no pastoreio das novas gerações cabe menos aos avós e mais aos pais. E muitos avós se alegram pelo fato da disciplina dos pequeninos ser prerrogativa dos pais de seus netos. Mas como "sacerdotes–pastores" da família, também cabe a nós, assim como ao pastor da igreja, ações preventivas e corretivas na vida das ovelhas desgarradas.

Os avós que passam qualquer tempo com seus netos terão que estabelecer limites, para o bem-estar de todos. Nesse sentido, os avós precisam colaborar com os pais, evitando interferir demais na correção (ou na falta dela) dos netos, mas devem evitar que sua casa se torne um caos.

Como regra, não oferecemos palpites para nossos filhos sobre a correção de seus filhos, a não ser que peçam conselhos. Também verificamos quais as regras, os limites, os padrões e horários que os pais querem que sigamos quando os netos ficam em casa. Se os pais vão viajar e os netos vão passar muito tempo em casa, é bom verificar quanta liberdade os avós terão em termos da correção/disciplina dos netos. Se não houver liberdade suficiente para manter a paz no lar, os avós terão que reavaliar sua disposição em serem babás.

3. INTERCESSÃO

Conforme Atos 6:2-4, uma das primeiras responsabilidades do líder espiritual é a oração, que acompanha o ministério da Palavra. Os avós certamente envolvem-se na instrução dos netos, pelo ensino e pelo exemplo; também têm papel ocasional de intervenção, ou seja, na correção deles. Mas talvez sua maior responsabilidade seja na área de intercessão.

As mulheres parecem ser intercessoras naturais. Para homens, talvez um pouco mais autossuficientes, a intercessão parece um desafio maior. Talvez, por isso, Paulo instrui o jovem pastor Timóteo: "Quero, portanto, que os varões orem em todo lugar, levantando mãos santas, sem ira e sem animosidade" (1Timóteo 2:8).

Talvez o maior e melhor exemplo desse tipo de intercessão seja o grande patriarca Jó. Era um verdadeiro sacerdote do lar. O primeiro capítulo de Jó descreve-o como um homem íntegro e reto, temente a Deus e que se desviava do mal (1:1). A Bíblia destaca a maneira como Jó demonstrava sua piedade: intercedendo por seus dez filhos, aparentemente já adultos, cada um possuindo a própria casa. Podemos imaginar um bocado de netos, embora o texto não os mencione.

Jó ficava preocupado com o bem-estar espiritual de sua família, especialmente depois das festas e banquetes que seus filhos realizavam. Lemos sobre o que ele fazia: "Decorrido o turno de dias de seus banquetes, chamava Jó a seus filhos e os santificava; levantava-se de madrugada, e oferecia holocaustos segundo o número de todos eles, pois dizia: "Talvez tenham pecado os meus filhos, e blasfemado contra Deus em seu coração. Assim o fazia Jó continuamente" (Jó 1:5).

Os pais e avós intercedem para que seus filhos e netos não sejam enredados pela armadilha do pecado. Erguem paredes de proteção ao redor deles, preocupando-se com seu bem-estar e seu relacionamento com o Senhor.

Assim como a vítima de AIDS não tem uma defesa imunológica contra doença, o sacerdote do lar que não intercede pelos filhos expõe seus descendentes aos perigos do pecado. Não creio que isso seja uma defesa "mística", muito menos uma "fórmula mágica", mas uma expressão de dependência paterna e clamor pela graça de Deus. O avô que ora continuamente pelos filhos e netos certamente agirá também para protegê-los contra o pecado.

Mas como orar por eles? Veja o esboço simples que tem servido como guia na oração pelos nossos filhos e netos. São os 4 "Cs" da intercessão familiar. Podemos orar:

- Pela CONVERSÃO genuína deles (que se arrependam dos seus pecados, encontrem em Jesus Cristo o caminho, a verdade e a vida, que confiem única e exclusivamente nele para a vida eterna).

- Pelo CARÁTER deles (o fruto do Espírito em Gálatas 5:22, a compreensão da sua identidade como filhos de Deus em Cristo - Efésios 1:15-23, 3:14-21).

- Pela CARREIRA deles (orar ao Senhor da seara que os use para expandir seu Reino no mundo - Lucas 10:2).

- Pelo futuro CASAMENTO deles (que encontrem cônjuges com quem possam compartilhar o chamado pelo resto da vida).

Avós intercessores

Então avôs, orem pelos seus filhos. Orem pelos netos. Seja um "Jó" moderno, na esperança de que estes imitem sua vida, levantando mãos santas e orando em todo lugar.

Recordações

Meus avós sempre estavam orando - pela família, por amigos e pela expansão do Reino. Sei que mesmo morando longe posso contar com as orações deles.

*Michelle (Merkh) Zemmer,
casada com Ben,
mãe de Davi e Tiago,
Educadora e do Lar.*

Para discussão

- Das três responsabilidades dos pais e avós na transmissão da fé à próxima geração (instrução, intervenção, intercessão), qual cabe mais aos avós? Até que ponto os avós podem ou devem praticar as três?
- Leia Jó 1:1-5. Quais as qualidades de caráter desse homem de Deus que o texto destaca?
- Quais maneiras práticas os avós podem usar para orar mais pelos filhos e netos?
- Você pode acrescentar outros pedidos importantes à lista dos 4 "C's" de oração? Quais?

9
Avós
educadoras

Uma das primeiras e mais marcantes lembranças que muitos têm de sua avó são os momentos (horas?) investidos com o netinho sentado no colo, lendo uma história.

— *Vó*, leia de NOVO!

Se a repetição é a mãe da aprendizagem, a leitura repetida deve ser a avó — literalmente!

Roger Palms sugere:

> Se a primeira fase da vida foi ocupada com crescimento e educação, a segunda com a carreira e a criação da família, então a fase três é aquela de professor, contribuinte, ajudador e amigo.[36]

---

36 Palms, p. 19.

Quer uma criança esteja vivendo em nossa casa, bem ali na esquina, ou a quilômetros de distância, temos o privilégio do ensino, o que é muito especial. Estudos mostram que o vínculo avô – avó – neto é uma das mais fortes ligações emocionais. Que oportunidade valiosa dada aos avós – uma segunda chance![37]

São as mães e avós que muitas vezes realizam a maior parte da educação espiritual dos filhos e netos, mesmo que a responsabilidade final caia nos ombros do homem da família. Vemos isso claramente sinalizado na vida do jovem pastor Timóteo.

No texto clássico sobre o impacto de uma mulher piedosa na vida dos seus filhos e netos, lemos as palavras do apóstolo Paulo sobre o testemunho desse jovem: "estou ansioso por ver-te, para que eu transborde de alegria, pela recordação que guardo de tua fé sem fingimento, a mesma que primeiramente habitou em tua avó Loide, e em tua mãe Eunice, e estou certo de que também em ti" (2Timóteo 1:4,5).

Sabemos que Timóteo não tinha pai cristão, mas que sua criação pela mãe e pela avó piedosa surtiu grande efeito em seu caráter piedoso:

> Havia ali um discípulo chamado Timóteo, filho de uma judia crente, mas de pai grego; dele davam bom testemunho os irmãos em Listra e Icônio. Quis Paulo que ele fosse em sua companhia e, por isso, circuncidou-o por causa dos judeus daqueles

---
37 Palms, p. 119.

lugares, pois todos sabiam que seu pai era grego (Atos 16:1-3).

Qual foi o segredo da sua criação, à luz de um lar dividido, um pai que aparentemente era pagão e que em nada encorajou seu filho a andar nos caminhos do Senhor (note que Timóteo não era circuncidado conforme a Lei exigia)? Encontramos a resposta em 2Timóteo 3:14,15:

> Tu, porém, permanece naquilo que aprendeste, e de que foste inteirado, sabendo de quem o aprendeste. E que DESDE A INFÂNCIA sabes as sagradas letras que podem tornar-te sábio para a salvação pela fé em Cristo Jesus.

Certamente Timóteo aprendeu muito do apóstolo Paulo, que o chamava de seu "filho" na fé. Mas tudo começou no lar, onde sua avó piedosa, Loide, e sua mãe fiel, Eunice, inculcaram nele as Sagradas Escrituras. Desde bebê, Timóteo foi cercado pela Palavra de Deus recitada pela *vó* e pela mãe. Observe seu compromisso para com a Palavra. Não sabemos se possuíam uma cópia das Escrituras. Talvez nem sabiam ler e escrever. Talvez tivessem que memorizar o texto sagrado que ouviam na leitura pública na sinagoga para depois recitar tudo nos ouvidos dele.

Mas veja a diferença que fez! Seu papel aparentemente insignificante para o mundo preparou o caminho para um dos servos do Senhor mais importantes do primeiro século. Eram verdadeiras "fazedoras de rei", atrás da cortina do palco humano, mas no centro do plano divino.

Talvez, por isso, 1Timóteo 2:15 destaca a extrema relevância de mães (e avós) piedosas, cujo principal ministério é o lar e a educação dos filhos e netos nos caminhos do Senhor:

> Todavia, será preservada (ou "salva" da aparente insignificância do seu papel no lar) através de sua missão de mãe, se elas permanecerem em fé e amor e santificação, com bom senso.

A função das mulheres não é simplesmente trocar fraldas, elas são fazedoras de reis, fazedoras de pastores, fazedoras de missionários, fazedoras de líderes da EBD, fazedoras de evangelistas, fazedoras de homens e mulheres de negócios íntegros e honestos, fazedoras de uma nova geração de mães piedosas!

O pastor Mark Willey disse o seguinte[38]:

> É a vontade de Deus que a mulher influencie a humanidade de baixo para cima, não de cima para baixo. Ela está equipada natural, física e espiritualmente para ser o fator principal que move o coração de uma criança. (Depois, ela ensina as mães jovens a fazerem a mesma coisa. Seu papel, então, não é limitado. Ela ensina a outras mulheres, ensina todas as crianças, e prepara uma futura geração de liderança para a igreja, a sociedade e o mundo."

Algumas aplicações para nossa vida:

---
38 *The Fruitful vine.*

Avós educadoras

- Mulheres, não menosprezem seu chamado; sejam motivadas, encorajadas, consoladas, resolvidas, dedicadas e pacientes na tarefa de formar uma nova geração de líderes.
- Sejamos todos gratos pelas vidas das nossas mães e avós, dispostos a honrá-las pelo investimento que está frutificando em nossa vida adulta.
- Lembrem-se: Um alicerce bíblico, lançado cedo na vida, prepara o caminho para um futuro bem-sucedido.
- Mesmo em circunstâncias difíceis, num ambiente difícil, com marido descrente ou sozinha, a ação da mulher piedosa "santifica" (separa para uma obra especial de Deus) a vida da criança (1Coríntios 7:14).
- Invistam e insistam na educação dos filhos e netos na Palavra de Deus. Avós, aproveitem cada oportunidade quando os netos estão em casa para um momento de culto familiar, memorização da Palavra, músicas evangélicas e saídas.

Onde estão as "Loides" e "Eunices" hoje? Mulheres que ousam fazer uma diferença pela educação nas Escrituras dos seus filhos e netos?

Um amigo escreveu um livreto chamado "A Videira Frutífera". Ele diz,

> Mães estão procurando sua realização em carreiras, programas da igreja ou atividades sociais fora do lar. Estão jogando fora a maior maneira de alcançar influência e realização que realmente permanecerão, quando não focalizam no seu papel como mãe [...] Seu maior ministério espiritual é para sua família. Ela

é o centro do lar. Ela é o ministro principal na vida dos seus filhos.[39]

A mulher piedosa deixa marcas no mundo quando prepara uma nova geração de homens e mulheres fiéis ao Senhor, que por sua vez se levantarão e darão prosseguimento à fé. Graças a Deus pelas mães e avós que se dedicam a essa tarefa. Que nunca se sintam como cidadãs de segunda classe.

A mulher que teme a Deus deixa marcas para eternidade por meio dos filhos e dos netos.

Recordações

Minha avó é minha confidente. Sempre está pronta a ouvir meus problemas, minhas histórias ou qualquer coisa que quero discutir. Escuta com atenção e me dá conselhos sábios. Passei muitas tardes em sua casa; se ela estava trabalhando na cozinha, eu a ajudava, e se estava escrevendo e-mails, ela parava para me dar toda a atenção. Minha avó é uma das minhas melhores amigas e sei que sempre posso procurá-la, seja qual for minha necessidade. Amo minha avó e sou grata pelo tempo que ela investiu na minha vida.

Elizabeth Cox (19 anos, estudante)

---

39 Idem.

Para discussão

- De que maneira o mundo tem desvalorizado o papel de mães e avós piedosas na criação dos filhos e netos?
- Leia 2Timóteo 1:5 e 3:14-16. Qual foi o segredo do amadurecimento espiritual precoce do jovem ministro Timóteo? Quais aplicações podemos tirar disso?
- Quais são as maneiras práticas pelas quais as avós podem investir espiritualmente na vida dos netos?
- Leia Tito 2:3-5. Qual o "currículo da avó" que ela ensina para as mulheres jovens?

10
Vô,

conta uma história!

Os avós são contadores de histórias.

As histórias do vovô falam de afeto, falam da história passada do povo, de pessoas do seu passado, de valores e de sonhos. As histórias da vovó afirmam e aguçam os sonhos dos netos. São educativas, lúdicas e líricas. Como avós, devemos primar por sermos bons contadores de histórias que apontem para a verdade de Deus.[40]

Então, deve soar como música aos nossos ouvidos quando o neto diz, "*Vô, conta uma história!*"

---
40 Gomes, p. 27.

E ainda mais quando a história é verídica e relata os grandes feitos que Deus tem feito em nossa vida...

Vô, conta de novo a história do parafuso...
Segurei o velho parafuso da prateleira, e as memórias voltaram . . .
Havíamos completado um retiro com quinze seminaristas num sítio no interior. Oito alunos se enfiaram como sardinhas em nosso pequeno carro e comecei a levá-los para a cidade mais próxima, onde pegariam ônibus para sua casa.
Cinco quilômetros no caminho, numa estrada de terra deserta, aconteceu: o motor tossiu, pifou e expirou. Nossa inspeção revelou o pior - uma trilha de óleo como uma cobra de 5 quilômetros, voltando até o sítio. Nosso carro ferido havia sangrado até a morte, vítima de um mecânico cruel que trocou o óleo, mas não apertou o parafuso, que havia sumido.
Quando finalmente chegamos à cidade, UM alvo dominava nosso pensamento: achar um novo parafuso, acrescentar óleo e tentar persuadir o carro a voltar para civilização. Foi mais fácil falar, do que fazer! Quando finalmente chegamos à última autopeças da cidade, já era tarde. Mas as luzes ainda estavam acesas e havia um último freguês no balcão. Nossa esperança desapareceu, porém, quando ouvimos a resposta tão familiar: "Desculpa, senhor, mas não temos a peça que vocês precisam."

Vô, conta uma história!

De volta na rua, fiquei indignado. Para que esse gasto desnecessário de tempo e dinheiro? Naquele instante uma voz atrás de mim nos chamou. Não foi o Senhor, mas ele não podia ter falado mais alto numa voz audível. Foi o freguês, chamando-nos para segui-lo até a sua pick-up. Lá ele mostrou uma peça muito parecida com o nosso parafuso. Explicou: "Moro fora da cidade, num sítio mais ou menos 10 quilômetros daqui. Hoje estava passeando com meu cachorro, quando vi essa peça no chão no meio da rua. Não sei por que, mas joguei-a no meu carro e esqueci até agora, quando ouvi você falando com o balconista."

Foi então que entendi. Não havíamos achado outra peça - foi a **nossa** peça que encontramos nesse lugar tão inesperado. Uma coincidência? Não, foi um daqueles momentos raros na vida, quando Deus abriu a cortina do céu por um instante e lembrou-me de sua soberana fidelidade. Passei vergonha por ter duvidado dele. Ele me lembrou de que cuida de **cada** detalhe da nossa vida; agora eu tinha mais um memorial da fidelidade de Deus para guardar na nossa prateleira de memórias...

Quando pessoas ouvem a palavra "memorial", muitas vezes pensam em lugares e estátuas como no Ipiranga, ou talvez na Praça Nacional de Brasília. Estátuas e prédios como estes homenageiam alguns pontos altos da nossa história e os mantêm vivos na consciência nacional.

Para o cristão, memoriais recordam a fidelidade de Deus e celebram suas intervenções graciosas em nossa vida. Como símbolos tangíveis, encorajam-nos a lembrar de ocasiões marcantes durante nossa peregrinação na rodovia da vida, momentos quando Deus dramaticamente dissipou a neblina e nos deu uma rápida vista de seu cuidado soberano. Memoriais ensaiam os milagres da vida, grandes e pequenos. Precisamos deles, porque conforme o velho ditado: elefantes não esquecem, mas o homem, sim.

> – *Vô*, conta sobre a árvore pequena!
> – Bem, neto, seu pai sempre gostava de escalar as coisas... primeiro o sofá, depois o balcão, finalmente, subia em pequenas árvores, grandes árvores, e hoje, escala montanhas. Um dia, como de costume, subiu no pé enorme de abacate ao lado da nossa casa, só que, dessa vez, foi lá em cima. Infelizmente, não percebeu que um dos galhos estava podre. O galho quebrou, e seu pai, que tinha uns 10 ou 11 anos de idade, foi despencando pelos galhos até cair, de costas, no chão, a centímetros de uma pilha de pedras ao lado do tronco. Por pouco não ficou paralisado ou morreu...

Quem precisa de memoriais? Todos nós, porque nosso banco de memória tende a esquecer os momentos incríveis nos quais Deus invadiu nossa vida para nos resgatar. Memoriais estimulam a recordação, chamando-nos de volta, convidando-nos a reviver nossa alegria quando seguramos aquele neném tão esperado; relembram-nos do drama de ser protegido de uma tragédia que podia ter assolado nossa vida.

Vô, conta uma história!

Pelo fato da amnésia espiritual atacar frequentemente o povo de Deus, ele indicou um remédio para nosso esquecimento. Uma memória por dia pode curar amnésia espiritual.

No Antigo Testamento, lembranças simbólicas da graça de Deus prevalecem. Pilhas de pedras encorajavam gerações a recordar o milagre de atravessar o rio Jordão. Altares construídos pelos patriarcas e a Arca da Aliança serviam como lembranças visuais para Israel dos feitos graciosos de Deus para eles. O arco-íris ainda nos lembra da promessa que Deus fez de nunca mais inundar a terra inteira com um dilúvio.

– *Vô*, a história das abelhas é minha favorita. Pode me contar?
– Bem, neta, foram seus tios Daniel e Stephen, junto com os primos Michael e Elizabeth, que um dia decidiram fazer de conta que eram exploradores. Subiram o morro atrás da nossa casa com facão, binóculos e tudo mais. A mata naquela época era densa e eles ainda eram pequenos. De repente, o tio Stephen foi picado por algo e chamou o irmão Daniel para ver o que era. Só que, quando voltou para ver, acabou pisando numa colmeia de abelhas bravas que estava no chão. Todas saíram e foram atrás dos quatro, que correram desesperadamente em direção à nossa casa, sendo picados o tempo todo. Quando finalmente chegaram, exaustos, achavam que iriam morrer. A *vó* ouviu os gritos da rua em inglês, "M-O-O-O-OM-M-M-M-M-M-M! e sabia que eram seus filhos e sobrinhos. Dentro de meia hora, chegaram a casa quatro médicos

e enfermeiras para cuidar deles. Todos levaram mais de cinquenta picadas na cabeça, e tio Daniel mais de setenta. Passaram muito mal, mas Deus os preservou...

O Novo Testamento também acentua o papel de memoriais. O batismo ilustra nossa identificação com Cristo em sua morte, sepultamento e ressurreição. A celebração da Ceia do Senhor recorda, de forma dramática, o corpo quebrado e o sangue derramado de Cristo: *Fazei isto, em memória de mim*. Ainda precisamos de memoriais, porque não podemos correr o risco de esquecer.

Também precisamos de memoriais porque nos lembram do amor e da fidelidade de Deus. O mesmo Deus que sarou nosso filho, providenciou emprego, ou colocou aquele cheque na nossa caixa postal, ainda anda conosco hoje. Memoriais nos lembram: "Ele não nos trouxe até aqui para nos abandonar."

> – *Vô*, e a história do cheque? Tiro do nosso memorial um cheque descontado há muito tempo.
> – Querida, quando faltava apenas um semestre para a vovó terminar a faculdade, pensávamos que não daria para ela se formar. Precisava de muito dinheiro ou teria que sair da escola. Nós teríamos que esperar para nos casar. Mas de última hora, Deus lhe deu até mais do que ela precisava. Vovó terminou o curso, casamos e agora estamos vivendo felizes para sempre! –*Vô*, se Deus não tivesse dado aquele dinheiro eu estaria aqui hoje?

Vô, conta uma história!

Como podemos criar memoriais? Nossa família começou com uma "tempestade cerebral". Alistamos eventos chaves em nossa vida e anotamos como Deus se provou fiel. Aquela experiência em si não somente nos revelou o quanto ele havia feito, mas também quanto havíamos esquecido.

Depois, decidimos uma estratégia para "memorializar" estes eventos. Um bom memorial deve ser tangível, facilmente associado com o evento (não muito abstrato) e disponível (de fácil acesso). Há muitas opções: gravações, filmagens, livros de fotos, diários pessoais, até mesmo uma "cápsula de tempo" que contém símbolos de eventos importantes do ano e deve ser "enterrada" num canto da casa ou quintal.

Quando nos casamos, eu e a minha esposa construímos uma "casa" em miniatura usando mais de cinquenta caixinhas de fósforo. Cada caixa representa um ano do nosso casamento. Nos aniversários registramos os eventos especiais daquele ano num rolo pequeno que depositamos na caixa.

Anos atrás, Gary e Anne Marie Ezzo do ministério "Growing Families International" nos mostraram a ideia de um memorial chamado a "Caixa de Sombras". Contém várias prateleiras com espaço para guardar e exibir miniaturas que representam momentos especiais em suas vidas. (Algumas famílias têm uma caixa assim na parede de sua casa para guardar enfeites tipo *country*.) Alguns até recomendam que os pais passem uma réplica da Caixa de Sombras para seus filhos no dia do seu casamento, preservando assim a história familiar da fidelidade de Deus por mais uma geração. Para nossa família, essa "prateleira de memórias" nos lembra de uma herança cheia da presença e da proteção de Deus.

– *Vô*, o que quer dizer o chapéu de formatura?
– Bem, como sabe neto, o *vô* e a *vó* vieram ao Brasil para que sua mãe pudesse nascer aqui. Mas depois, precisávamos retornar à nossa casa em Dallas nos EUA, para completar o último semestre dos meus estudos - sem dinheiro, sem emprego, com duas crianças pequenas para cuidar. E agora, o que faríamos?
– De alguma forma a situação parecia conhecida. Foi então que lembrei: O cheque! Havíamos passado por tudo isso antes! O mesmo Deus que providenciou o dinheiro para o último semestre de faculdade da minha esposa podia suprir o que faltava agora. Era hora de avançar para o mestrado na escola de fé. As circunstâncias talvez mudaram, mas ele não.

Hoje, um pequeno chapéu de formatura tem seu lugar ao lado do cheque, da abelha e do parafuso em nossa prateleira de memórias. Deus usou alguns empregos inesperados, algumas ofertas especiais e outras surpresas, para pagar nossas contas. Sua fidelidade no passado nos motivou a perseverar no presente.

– Somente mais uma história, *vô*. E a cobra junto da calça camuflada? O que significam?
– Essa história, neta, é a MINHA favorita... Foi quando seu pai, com tio Daniel e tio Stephen (de

novo!) saíram para brincar de soldados do exército, à procura de um inimigo escondido. Subiram um morro e seu pai foi se esconder na floresta. Tio Stephen e tio Daniel saíram à procura dele. Só que, de repente, tio Stephen saiu gritando: "Fui picado por uma cobra! Fui picado por uma cobra!" Ele havia pisado ao lado de uma enorme cascavel enrolada no chão.

– Quando descobriram que não era "truque" do seu irmão, fizeram de tudo para ajudá-lo. Seu pai o pegou nos braços e tio Daniel saiu correndo para conseguir socorro. Ele achou um telefone dentro de um prédio, que quase nunca funcionava. Mas, por Deus, funcionou naquele dia! Ligou-me dizendo que Stephen fora picado por uma cascavel. Eu e a *vó*, que havia chegado naquele momento com nosso carro da cidade, voamos, como nunca antes na vida, para levá-lo para o hospital.

– Pela graça de Deus, descobrimos que uma pequena "coincidência" provavelmente salvou a vida do tio Stephen. Acontece que naquela manhã, o Stephen me pediu (na ausência da mãe) para colocar sua calça camuflada molhada na secadora, para poder usar no mato. Se a mãe dele (sua avó) estivesse aqui, nunca teria deixado UMA peça de roupa só na secadora. Mas eu, desligado que sou, deixei. No fim, a picada da cobra mal passou o pano da calça grossa, e só arranhou a pele sem injetar o veneno nele. Por isso, ainda temos tio Stephen conosco para contar suas piadas e deixar todo mundo alegre...

Quando devolvi cuidadosamente cada objeto para seu lugar na nossa *Prateleira de Memórias*, tive que agradecer a Deus por essa herança maravilhosa. Para outros, talvez essas miniaturas seriam nada mais que bugigangas pegando poeira na prateleira. Mas para meus netos e filhos, para minha esposa e para mim falam do Deus vivo que ainda opera na vida dos seus queridos. Memoriais da fidelidade de Deus podem tornar a fé dos pais uma fé viva na vida dos filhos e netos. Não podemos correr o risco de esquecer. Nesse caso, não há nada errado com uma fé de segunda ou terceira mão.

> A fidelidade de Deus no passado
> É motivação no presente
> Para prosseguirmos para o futuro!

Vô, conta uma história!

Para discussão

- O que vem à mente quando você ouve a palavra "memorial"? Consegue lembrar-se de alguns exemplos na sociedade?
- Quais exemplos bíblicos estabelecem o precedente de "memoriais"?
- Se você tivesse que contar UMA história da fidelidade, proteção, provisão ou poder de Deus em sua vida, o que seria? Que tal contá-la ou registrá-la no papel para sua posteridade?
- Quais seriam as maneiras criativas de transmitir as histórias da fidelidade de Deus no passado para essa geração?

11
"Não interferirás..."

O casal não sabia o que fazer. Eles e seus dois filhos tinham passado as férias com os pais do marido. Mas foi um desastre. A mãe dele fazia chantagem o tempo todo, reclamando que as visitas do casal eram muito raras e breves demais. Quando o casal precisava disciplinar um dos filhos, "vovô" ou "vovó" chegava junto para contrariar tudo. Depois de alguns dias, tudo que os pais haviam trabalhado o ano todo para corrigir, desde sua última visita, já passava como água debaixo da ponte...

Diz o ditado popular que, no que o pai educa o filho, o avô o deseduca.[41]

---
41 Gomes, p. 41.

Uma história fictícia? Não. É somente uma de MUITAS que temos ouvido no decorrer de algumas décadas trabalhando com jovens casais. A interferência desnecessária dos avós na vida dos filhos e netos constitui a maior reclamação desses casais.

Surpreendentemente, o que mais temos encontrado são mães de homens casados que não aceitam o fato de que seu filho ama outra mulher. Já aconselhamos muitas esposas cujo marido não defende a integridade do lar permitindo que sua mãe maltrate, desrespeite, ignore e denigra a sua esposa. Nesses casos temos uma palavra dura para o marido, mas e a mãe dele? O que está pensando? Por que quer arruinar um lar? Como pode ser tão egoísta ao ponto de minar a felicidade do filho e dos netos para alimentar uma insegurança doentia e carente de atenção?

Por isso, incluímos esse capítulo num livro sobre o legado dos avós. Porque é possível minar muito ou tudo que tentaram construir por meio de algumas atitudes e ações que criam ressentimentos, raiva e até mágoas nos filhos. Achamos graça na declaração de uma criança de 9 anos quando disse: "Minha *vó* é incrível. Ela é a única pessoa na minha família que consegue mandar na minha mãe!"[42] Mas a realidade é que os dias para "mandar" nos filhos crescidos e casados "já era! "

O problema parece ser uma falta de compreensão (ou aplicação prática) do ensino bíblico quanto à idoneidade do lar. O texto clássico sobre casamento, Gênesis 2:24, deixa claro que cada núcleo familiar, por si só é um reflexo

---
42 Jeffrey, 9 anos, citado em Lanese, p. 92.

da imagem de Deus na sua Trindade (Gênesis 1:27). A formação de um novo lar começa com o DEIXAR: Por isso, deixa o homem pai e mãe, e se une à sua mulher, tornando-se os dois uma só carne.

Assim como a Trindade não aceita elementos estranhos em seus eternos conselhos, o relacionamento de "dois em um" do casamento não permite terceiros interferindo nele. Infelizmente, muitos pais em nada ajudam nessa separação saudável dos filhos. Em vez disso, atrapalham. Eles ainda ferem um princípio fundamental para o casamento equilibrado.

Não é tarefa fácil para nenhuma das pessoas envolvidas. Depois de 18, 20, 25 ou 30 anos de convivência, transferir a lealdade e intimidade dos pais para o cônjuge pode rasgar o coração dos filhos. E para os pais, ter o "ninho vazio", especialmente se deixaram de cultivar sua própria amizade e intimidade no decorrer dos anos, pode doer como um parto, só que sem a alegria de uma nova vida no final do trabalho e sim, um vazio profundo no centro do ser.

Mas a ordem bíblica é clara e os pais têm a responsabilidade de estabelecer hábitos que facilitem a formação de um novo lar sem a interferência de terceiros. "O ensino é responsabilidade dos pais. Aos avós cabe demonstrar, com história e vida, exemplos práticos desse ensino."[43]

Note que o texto não dá respaldo para o novo casal desrespeitar ou desonrar seus pais. Essa responsabilidade continua durante toda a vida. Mas há, sim, um corte do "cordão umbilical" de dependência e obediência aos pais,

---
43 Gomes, p. 41.

que implica num corte da interferência desses na vida do novo lar.

Mas como fazer isso? Como que mãe e pai (vovô e vovó) podem facilitar esse afastamento saudável? Veja algumas sugestões:

- Prepare seus filhos para uma vida de independência quando ainda jovens, ensinando-os princípios e habilidades básicas sobre casamento, família, finanças, consertos domésticos, etc.
- Resista a tentação de dar palpite e conselhos quando não forem pedidos!
- Encoraje seus filhos, parabenizando-os pelo que você vê de acertos enquanto criam os filhos, seus netos.
- Não encoraje dependência financeira; não há nada errado com uma ajuda ocasional, um socorro oportuno. Mas cuidado para não criar uma dependência do bolso do papai e mamãe.
- Não faça chantagem, reclamando de poucas visitas, poucas ligações ou poucas férias juntos.
- Nunca interfira na criação dos filhos! Se realmente for necessário opinar (sem que tenham pedido), faça isso somente em particular.
- Respeite a maneira pela qual seus filhos criam os filhos deles, seus netos. Você já teve sua vez. Afinal de contas, provavelmente foi com vocês que aprenderam.
- Não interfira na disciplina dos seus netos.

- Se quiser "mimar" os netos, é melhor pedir permissão a seus pais primeiro. É privilégio dos avós tratar bem os netos, mas sem estragar o esforço dos pais na sua criação.
- Não prolongue suas visitas na casa deles. Há um velho ditado que diz: "a distância ideal para os pais morarem dos filhos não é tão próximo que possam chegar de chinelos, nem tão distante que cheguem de malas".
- Nunca critique o cônjuge do seu filho para ele.
- Não aceite reclamações dos seus filhos, genros ou noras contra os cônjuges deles.

Outro problema muito sério capaz de minar o legado dos avós e seu investimento na vida dos netos é um relacionamento quebrado entre pais e seus filhos adultos. Há casos em que os avós são impedidos de ter tempo com os netos. A falta de perdão, ira não resolvida e mágoas conseguem distanciar e, eventualmente, destruir muitas famílias. Mesmo que você não seja a causa principal da rixa entre você e seu filho, que tal pedir perdão pela sua parte no problema, e perdoá-lo de coração? Não faça isso somente como chantagem, para conseguir sua vez com os netos, mas de coração, para o bem de toda a sua família. Leia e estude alguns textos bíblicos como Mateus 5:23,24; 6:12-15; 18:21-35 e Efésios 4:31,32 se precisar de mais ajuda nessa área.

Elizabeth Gomes comenta sobre o papel dos avós e a importância do relacionamento que têm com seus filhos crescidos:

Os pais dos pais não são pais dos netos – são avós. (Não temos a responsabilidade diária de educar e disciplinar os netos a não ser quando estes estão sob nossa guarda...) A educação que podemos dar é o exemplo do nosso relacionamento com nossos próprios filhos. Tratando nossos filhos adultos como irmãos, proporcionaremos um modelo de maturidade. Nossos netos saberão que um dia vão crescer e repetir esse relacionamento maduro. Isso não só traz esperança quanto ensina qual o tipo de relacionamento que Cristo quer de nós.[44]

Não é fácil soltar os filhos. Não é fácil pedir perdão. Mas somente quando cortamos o cordão umbilical é que desfrutaremos de relacionamentos saudáveis e maduros que permitirão um legado duradouro.

---

44 Gomes, p. 16,

"Não interferirás..."

Para discussão

- Quais exemplos negativos você já viu de interferência dos avós na vida dos filhos e netos? Qual o resultado disso?
- Leia Gênesis 2:24. Você poderia acrescentar outras sugestões práticas para os avós realmente permitirem que seus filhos "deixem pai e mãe"?
- Até que ponto os avós precisam dar espaço para seus filhos e netos? Qual o equilíbrio entre envolvimento efetivo para repassar o legado e espaço para eles estabelecerem seu próprio lar?
- Qual a diferença entre "honra" e "obediência" aos pais (Efésios 6:1-3)? Você entende que "obediência" termina com o casamento, mas que "honra" continua durante uma vida? Como manter essa distinção na prática ao lidarmos com nossos filhos casados?

12
A diferença

que o avô faz

Foi a viagem dos nossos sonhos, a continuidade de uma tradição familiar que se originou algumas gerações antes. Em 1954, Sr. Newberry Cox, missionário plantador de igrejas e tradutor da Bíblia entre tribos indígenas da Guatemala, havia levado seus quatro filhos numa viagem que cruzou os Estados Unidos. Seu filho, Davi Cox, radicado no Brasil desde 1963, fez o mesmo em 1978, criando memórias inesquecíveis para seus quatro filhos. Em 2010, foi a nossa vez. Mesmo tendo viajado por quase todo o Brasil (de KOMBI!) em família, conhecíamos pouco da nossa pátria de origem, os Estados Unidos. Por isso, durante quatro semanas, no verão norte americano, rodamos mais de 11.000 km, realizando um sonho com os filhos, seus cônjuges e dois netos (com mais um "no forno")... onze pessoas ao todo.

Um dos propósitos da viagem era conversar sobre o assunto desse livro – o legado familiar. Durante parte da viagem, tivemos conversas e devocionais em que tratamos sobre as marcas que a nossa família queria deixar neste mundo. Desafiei a cada filho e família dos nossos filhos com o "Legado" que juntos havíamos escrito em 1998 (veja capítulo 5, "O Ano 2260 e o Legado Espiritual").

Ficou evidente que Deus nos abençoara muito, com várias gerações de antepassados fiéis ao Senhor e ativos na causa do seu Reino. Cinco gerações ao todo. Os meus dois avôs eram "pregadores ao ar livre" nos EUA. Ainda tenho os esboços detalhados das mensagens de um deles, mensagens pregadas na calçada da praia de Atlantic City nos EUA em 1919.

Os dois avôs da minha esposa foram homens de Deus que impactaram gerações inteiras. Já mencionei o Sr. Newberry Cox na Guatemala. O avô materno da minha esposa, Jack Wyrtzen, tornou-se conhecido internacionalmente como evangelista e fundador do ministério mundial chamado Palavra da Vida, hoje atuante em sessenta países do mundo, alcançando a mocidade com o Evangelho de Cristo.

No Brasil, Sr. Davi Cox e Mary-Ann (Wyrtzen) Cox são conhecidos como fundadores do Seminário Bíblico Palavra da Vida, onde eu e minha família ministramos desde 1987. Hoje esse legado se estende para seus 20 netos e 4 bisnetos, todos amando o Senhor e servindo-o, enquanto estão espalhados em três continentes do mundo. É fruto da graça de Deus em nossa vida. Deus é fiel!

Mas também reconhecemos que "grandes privilégios implicam em grande responsabilidade!" Diz o ditado: "Deus não tem netos – somente filhos!" Como o avô da minha esposa dizia: "É responsabilidade de cada geração ganhar a SUA geração para Cristo." Isso, porque estamos a uma geração da extinção do cristianismo verdadeiro.

Ao mesmo tempo em que somente a graça e a fidelidade de Deus explicam a preservação de um legado fiel a ele, precisamos reconhecer que ele também nos dá instruções para mantermos esse legado. Essa é a razão de existir desse livro! O bastão está em nossas mãos. Mesmo um legado maravilhoso pode ser interrompido a qualquer momento pela desobediência e pelo descaso do povo de Deus. Não consigo imaginar tragédia maior. Não podemos deixar o bastão cair.

Talvez você não seja a quinta geração de cristãos fiéis ao Senhor. Talvez você seja a primeira. Mas pense no que pode acontecer como resultado da graça de Deus em SUA vida! Existe um efeito dominó de geração a geração quando UM homem ou UMA mulher decide servir a Deus com todo o seu coração!

Existe um salmo bíblico que desenvolve bem essa ideia. Encontra-se na segunda parte de um conjunto de dois salmos, 111 e 112, em que cada um está escrito como poema acróstico, ou seja, cada uma das suas 22 linhas começa com uma letra do alfabeto hebraico, em ordem. São salmos de louvor que começam "Aleluia!"-"Louvado seja Yah(weh)", um reconhecimento da graça, benevolência e bondade de Deus na vida do salmista. É DEUS quem abençoa!

No salmo 111 descobrimos que a justiça de Deus permanece, enquanto no 112 é a justiça de quem TEME a Deus que permanece. No salmo 111 o Senhor é benigno e misericordioso, mas no 112 é o homem que teme a Deus que é benigno e misericordioso. O salmo 111 descreve os preceitos do Senhor como sendo estáveis, mas no 112, o homem que confia no Senhor é estável.

A lição que podemos tirar do conjunto desses salmos é o fato de que QUEM TEME A DEUS SE TORNA COMO DEUS! Em outras palavras, o legado de Deus se transmite ao homem de Deus e sua família!

Para quem se preocupa com o "legado", o salmo 112 é absolutamente fundamental, pois desenvolve tanto os REQUISITOS de quem teme a Deus como os RESULTADOS (legado) na vida dessa pessoa.

OS REQUISITOS DE QUEM TEME A DEUS

Um legado duradouro vem quando tememos a Deus e investimos nossa vida em três "eternos": o Pai, sua Palavra e seu Povo. São os únicos investimentos que ninguém consegue tirar de você! Note como o salmista desenvolve essas três ideias:

1. Andar com Deus: Paixão pelo PAI (112:1a)

O primeiro requisito para um legado eterno é intimidade com Deus. Para isso, temos que andar com Deus.

O primeiro versículo começa dizendo: *Bem-aventurado (ou "feliz") o homem que teme ao SENHOR*. A ideia do temor ao Senhor é "praticar a presença de Deus", ou seja, viver cada momento ciente da presença de Deus e da sua perspectiva sobre tudo o que pensa, fala e faz. Quem anda com Deus passa pelo labirinto da vida com seu "GPS" ligado – ele é "Guiado Pelo Senhor" – aquele que "rastreia" toda a terra, vê as entradas e saídas do labirinto, e nos orienta para termos êxito.

2. Amar a Palavra de Deus: Paixão pela PALAVRA (112:1b)

O texto diz que essa pessoa "se compraz (muito) nos seus mandamentos". Em outras palavras, quem quer um legado verdadeiro precisa amar a Palavra de Deus acima de tudo.

Quem anda com Deus ouve e obedece a sua Palavra. É com ela que Deus nos guia pelos labirintos dessa vida! A Palavra dele nos traz o "mapa" do labirinto. O homem ou a mulher humilde o suficiente para admitir que não sabe o caminho, e por isso consulta o "GPS", encontra saída...e um legado! Por isso João 14:21 diz: *Aquele que tem os meus mandamentos e os guarda, esse é o que me ama.*

3. Abençoar o Povo de Deus: Paixão por PESSOAS (112: 4,5, 9)

O terceiro investimento de quem deseja um legado eterno deve ser feito em pessoas. É viver para servir e abençoar! Essa é a vida de Cristo em nós, conforme vemos em Marcos 10:45: *Pois o próprio Filho do Homem não veio para ser servido, mas para servir, e dar a sua vida em resgate por muitos.*(cf. Gálatas 2:20).

Note como o iniciador de um legado se compadece de pessoas:

- Ele é benigno, misericordioso e justo (4b).
- Ele se compadece e empresta, e defende os indefesos (5).
- Ele distribui (contribui) para os pobres (9a).

Em outras palavras, a vida de Cristo se manifesta por uma vida "outrocêntrica"! Esses são os requisitos para ser um homem ou mulher de Deus. Mas quais os resultados?

OS RESULTADOS DE QUEM TEME A DEUS: UM LEGADO!

O texto destaca a bênção desfrutada por aqueles que andam com o Senhor, amam cada palavra que sai da boca dele e que se preocupam em abençoar a outros. Numa palavra, a maior bênção é um LEGADO. Mas o texto descreve seis aspectos desse legado com maiores detalhes:

1) Descendentes abençoados

A sua descendência será poderosa na terra: será abençoada a geração dos justos (Salmos 112:2).

Não existe bênção maior nesta vida. O texto de 3 João 4 ecoa a ideia: *Não tenho maior alegria do que esta, de saber que meus filhos andam na verdade.*

Não somente os pais e avós, mas também os filhos experimentam essa alegria: *O justo anda na sua integridade, felizes lhe são os filhos depois dele* (Provérbios 20:7).

Vale a pena lembrar que nosso maior legado são os descendentes que enviaremos para um mundo que nós mesmos, provavelmente, não conheceremos. É o que vamos deixar de mais precioso. Talvez você já tenha visto uma propaganda que diz: "Não se preocupe tanto com o mundo que vamos deixar para nossos filhos, mas com os filhos que vamos deixar no mundo".

Elizabeth Gomes comenta:

> Como avós, temos uma responsabilidade singular de ser um elo entre nossos descendentes e o passado que significa raízes para eles. Ao mesmo tempo, estamos antevendo neles um tempo que nós mesmos não conheceremos. E ao caminharmos mais próximos do tempo de entregar nossos corpos corruptíveis e assumir a incorruptibilidade de uma eternidade com o Senhor, temos a oportunidade de apontar, para nossos descendentes, o caminho do eterno.[45]

Os descendentes do homem (e mulher) que temem a Deus são influentes, e não influenciados. São uma bênção para todos que os encontram (veja Salmos 127:3-5; 128; Provérbios 29:17).

2) Prosperidade - relativa e eterna (3a)

Na sua casa há prosperidade e riqueza (Salmos 112:3a).

---

45 Gomes, p. 61.

No contexto em que foi escrito, o salmo descreve as bênçãos prometidas para o povo de Israel como resultados de obediência à Aliança Palestiniana (Deuteronômio 28). Temos que tomar cuidado para não transferir aquelas promessas de prosperidade material para nosso contexto, afinal, Jesus prometeu bênçãos nas regiões celestiais (Efésios 1:3-14), e não necessariamente riqueza material. Paulo nos lembra de que TODOS que viverão piedosamente em Cristo sofrerão perseguição – 2Timóteo 3:12.

Como aprendemos no livro de Provérbios, todas as coisas sendo iguais, o estilo de vida do justo é mais próspero do que o ímpio. O justo evita vícios que consomem seus bens e, eventualmente, sua vida. Não desperdiça suas posses de forma frívola, correndo atrás de esquemas para ficar rico sem trabalhar. Não gasta além das suas possibilidades, consumido pela cobiça e materialismo. Evita dívidas além do seu poder de pagar. Trabalha diligentemente e cuida bem do que Deus lhe concede, sendo bom mordomo, generoso e contente com o que tem. Interessantemente, o livro de Provérbios descreve sua prosperidade como se estendendo até os netos: *O homem de bem deixa herança para os filhos dos filhos...* Provérbios 13:22.

3. Um legado perpétuo

A ideia de um legado sempre foi forte motivação de vida. Certa vez alguém notou que "Os homens constroem suas lápides com granito, não papelão..."

A motivação de um legado constitui o centro teológico do salmo, a ênfase que motiva homens e mulheres

A diferença que o avô faz

a buscar em Deus seu significado duradouro. Mesmo que os homens nos esqueçam, Deus nunca! Três vezes o salmo destaca a continuidade do seu legado:

- 3b *sua justiça permanece para sempre.*
- 6b *será tido em memória eterna.*
- 9b *sua justiça permanece para sempre.*

Nas Escrituras, ter seu nome preservado está entre as maiores honras. Por isso, nosso maior legado é ter o nome escrito no livro da vida, ou seja, ter o nome retido em memória perpétua.

Provérbios 10:7 diz: "A memória do justo é abençoada, mas o nome dos perversos cai em podridão".

Por outro lado, morrer no anonimato nas Escrituras significa perder seu nome, ser esquecido para sempre, como aconteceu com a esposa de Ló, a esposa de Jó e o homem rico que pouco se importava com o mendigo Lázaro na história de Jesus.

Talvez, por isso, Deus faz questão de nos lembrar que ele não é injusto para ficar ESQUECIDO do nosso ministério a favor de outros (Hebreus 6:10), lembrando-nos que CADA copo de água dado em seu nome será eternamente galardoado (Marcos 9:41) e que NADA que fazemos por ele será em vão (1Coríntios 15:58).

4. Direção de vida

Aos justos nasce luz nas trevas (Salmos 112:4a).

Em outras palavras, há luz no final do túnel! O homem de Deus tem a orientação de Deus! Tem o mapa do labirinto! Ele ouve a voz do Bom Pastor conduzindo-o para os pastos verdejantes. E, além de encontrar direção para sua própria vida, serve de guia e conselheiro dos cegos ao seu redor!

5. Estabilidade de vida (apesar das más notícias)

Elizabeth Gomes, em seu livro *É a Vovó*, comenta a importância dos avós em meio a uma geração instável que precisa de âncoras:

> Vivemos hoje um mundo de abismo entre as gerações, de desprezo aos experientes em favor da última moda, de crianças que crescem sem conhecer os avós, quanto menos conhecer o nome das gerações que as antecederam – sem raízes, flutuando ao vento da pós-modernidade, levadas ora por brisas, ora por tormentas, por caminhos que seus pais jamais imaginaram.[46]

O penúltimo resultado e fruto do legado do homem que teme a Deus é estabilidade:

- *Não será jamais abalado* (Salmos 112:6a).
- *Não se atemoriza de más notícias* (7a).
- *Seu coração é bem firmado* (8a).
- *Não teme* os adversários (8b).

---

46 Gomes, p. 10.

Note que ele recebe más notícias, mas elas não o abalam; seu coração descansa no Senhor!

Más notícias vêm, mas não perturbam a paz do justo!

Basta perguntar como eu respondo quando recebo más notícias. Com confiança num Deus Pai, soberano, misericordioso e bondoso? Ou entro em pânico? Vacilo? Murmuro? Reclamo? Alimento dúvidas?

6. Honra

O penúltimo versículo diz *seu poder será exaltado em glória* (112:9). A palavra traduzida "poder" é, literalmente, "chifre". A ideia do "chifre" é de um animal vitorioso numa batalha, que balança a cabeça e chifres sobre o seu inimigo. Há honra e vitória para a pessoa que teme ao Senhor. Isso em contraste com o fim do ímpio (v. 10) que não entende nada disso e cai no eterno anonimato e frustração.

Qual será seu legado? O que deixará para trás? Qual tipo de história está sendo escrita nas páginas da sua vida? Um "clássico"? *Best-seller*? Ou algo descartável, guardanapo de restaurante com anotações que duram pouco tempo?

Se tivéssemos que resumir a mensagem do Salmo 112 e o desafio para nossa vida, diríamos que:

O temor do Senhor produz um legado eterno.

Para discussão

- Leia Salmos 1:1,2 e Josué 1:8. Como esses versículos refletem a importância da Palavra de Deus no nosso legado?
- Leia Deuteronômio 6:4-9 e João 14:21-24. Qual o relacionamento entre amor por Deus e amor e obediência à sua Palavra?
- Leia o salmo 112 novamente e faça uma lista dos benefícios de quem teme a Deus.
- Das características de quem teme a Deus, qual delas está mais em falta em sua vida? Você pode pensar (e compartilhar) em alguns projetos para melhorar pela graça de Deus?

13

... Que também tem sido

mãe (e avó!)

para mim

Antes de deixarmos os Estados Unidos para vir para o Brasil em 1987, resolvemos recrutar um exército de guerreiras de oração – pessoas com tempo, disposição, interesse e amor pela causa de Cristo e seu Reino. Chamamos esse grupo de "Clube das Avós". Mais de cem delas, entre 45 e 100 anos de idade, intercederam fielmente por nossa família por anos.

No primeiro século também havia mulheres intercessoras, apaixonadas por Cristo e sua causa. Não escreveram livros da Bíblia. Poucas fizeram viagens missionárias. Mas elas seguraram as cordas de quem saiu por amor ao nome de Jesus.

Algumas contribuíram diretamente com o Reino através de seus bens, como as mulheres mantenedoras do ministério de Jesus, fiéis até o final, entre os poucos que ficaram com Jesus em sua paixão:

> Estavam também ali [na crucificação de Jesus] algumas mulheres, observando de longe; entre elas, Maria Madalena, Maria, mãe de Tiago, o menor, e de José, e Salomé; as quais, quando Jesus estava na Galileia, o acompanhavam e serviam; e, além destas, muitas outras que haviam subido com ele para Jerusalém (Marcos 15:40,41).

Outras foram "fazedoras de reis", como Lóide e Eunice, avó e mãe do jovem ministro Timóteo. O impacto da vida delas continua até hoje por causa da transmissão fiel da Palavra do Senhor, que Timóteo conhecia *desde a infância* (2Timóteo 1:5; 3:14,15). Apesar de ter um pai gentio e aparentemente pagão, a fé delas foi suficiente para conduzir Timóteo até o Evangelho e a uma vida missionária e pastoral.

Ainda outras se destacaram pela vida vivida para abençoar a outros, como as viúvas citadas em 1 Timóteo 5, dignas de sustento da igreja por causa de uma vida de boas obras, hospitalidade, serviço humilde, socorro aos atribulados, fidelidade conjugal e criação de filhos (1Timóteo 5:9,10). Mulheres como Dorcas (Atos 9:26-43) que deixaram marcas profundas nas pessoas ao seu redor.

Para uma mulher não ter esse tipo de impacto missionário não é preciso ser mãe ou avó. O próprio apóstolo Paulo dá testemunho, no final da sua epístola mais majestosa, Romanos, de uma senhora anônima, mas que era como mãe para ele.

... Que também tem sido mãe (e avó!) para mim

No final do livro de Romanos, o missionário/apóstolo envia saudações para pessoas conhecidas em Roma, lugar que ainda não havia visitado. Entre vários nomes encontramos uma saudação quase esquecida, mas rica e animadora:

> Saudai a Rufo, eleito no Senhor, e igualmente a sua mãe, QUE TAMBÉM TEM SIDO MÃE PARA MIM (Romanos 16:13).

Não sabemos o nome dessa senhora preciosa, mas talvez seu "anonimato" sirva para que todas as mulheres nos bastidores de missões se identifiquem com ela. Mesmo assim, sabemos mais sobre ela do que sobre a própria mãe do apóstolo Paulo. E ele faz questão de honrar àquela que tinha sido um encorajamento tão grande em sua vida e seu ministério.

O que sabemos sobre essa mulher?

- Era mãe de um crente firme, Rufu, identificado como "eleito no Senhor".
- Provavelmente também era mãe de um tal de Alexandre, também bem conhecido entre os crentes (Marcos 15:21).
- Possivelmente era a esposa do (judeu?) africano Simão Cireneu, que carregou a cruz de Jesus (Marcos 15:21; Mateus 27:32; Lucas 23:26).

Mais importante, ela ficou para sempre registrada nas Sagradas Escrituras como uma "mãe substituta" do próprio apóstolo Paulo. Por que? Só podemos especular. Mas não deve ficar tão distante da verdade afirmar que, como mãe, ela deveria ter orado por Paulo, cuidado dele sempre que pôde, visitado o apóstolo, enviado suas "guloseimas" prediletas de vez em quando, e muito mais. A vida dela serve como testemunho de como Deus honra aqueles que honram seus emissários.

Em seu livro, *Celebrando a Vida Depois dos 50*, o autor Roger Palms desafia mulheres, com ou sem seus próprios netos, a aceitar o desafio de ser "avó substituta". Chama atenção a quantidade de crianças da vizinhança ou na igreja que, por algum motivo, não têm suas avós por perto. Obviamente, há um preço a pagar, que inclui um pouco mais de sujeira em uma casa em que, muito possivelmente haja lugar para tudo e em que tudo tem seu lugar.

Salomão faz um interessante comentário sobre a vida: *Não havendo bois, o celeiro fica limpo, mas pela força do boi há abundância de colheitas* (Provérbios 14:4). Você pode ter um celeiro limpo, caso não tenha nenhum animal nele, mas você não terá uma fazenda lucrativa. E você pode ter uma vida organizada, limpa, sem tumulto, se não há pessoas (especialmente crianças) em sua vida. Mas será que você também ficará sem um ministério?

Por que Deus nos permite ter a sabedoria, o tempo, a experiência espiritual e o conhecimento bíblico, se não for usado em benefício de outros? Já que há pouca oportunidade para ensinamento religioso nas escolas e, de fato, muito ensinamento antirreligioso, não seria maravilhoso se uma criança ao chegar a casa vindo da escola pudesse conversar sobre o que ouviu de uma "vovó" ou "vovô" da casa ao lado [...] em lugar de voltar para uma casa vazia e um aparelho de TV? Não seria maravilhoso se aquela criança pudesse ter as Escrituras abertas para ela e pudesse ouvir sobre o Senhor Jesus Cristo vivo?[47]

Que desafios podemos extrair?

1. Deus honra as pessoas que lhe servem, mesmo no anonimato. Ele não é injusto para ficar esquecido de um copo de água dado em nome de Jesus (Hebreus 6:10; Marcos 9:41). Estou me reanimando no Senhor por causa dessa sua fidelidade?
2. Deus usa pessoas "anônimas" nos bastidores da causa missionária. Ele sabe quem são. Essas pessoas têm encaminhado aqueles que saíram por causa do nome de Jesus em viagens missionárias de forma digna de Deus (3João 6,7). E serão reconhecidas no momento oportuno por ele mesmo.

Se a mãe de Rufo estivesse viva hoje, gostaria muito de incluí-la no nosso Clube das Avós. Mas graças a Deus, há muitas mulheres fiéis, com ou sem filhos e netos, que amam o Senhor, amam sua Palavra, amam sua missão e seus missionários. Você faz parte desse Clube de Avós?

---

[47] Palms, p. 114.

Para discussão

- Você concorda ou discorda com essa declaração: "No decorrer dos anos, são as avós que mais têm ficado nos bastidores de missões mundiais."?
- Existe alguém "que também têm sido mãe" para você? Conte sua história.
- Você consegue pensar em jovens ou crianças para quem você poderia ser uma avó (ou um avô) substituta? Que tal começar hoje?
- O que significa "encaminhar missionários que saíram por causa do nome de Jesus de forma digna de Deus" (3João 6,7)? Como fazer isso hoje de forma prática?

*Amo minha avó,
porque não importa quantas coisas estúpidas eu faça,
ela ainda conta para todas as amigas dela que sou o menino mais inteligente na face da terra.*

(Mark, 7 anos)[48]

---
48 Lanese, p. 39.

Parte II

Informação

101 ideias criativas para o Dia da vovó

Não sei o que fazer!

Se você leu até aqui (ou simplesmente "pulou" a Parte I para chegar nessa parte mais prática do livro) temos boas notícias: O investimento na vida dos seus netos pode ser MUITO divertido. Ao mesmo tempo em que comem, compartilham e brincam juntos usando algumas das ideias aqui sugeridas, assim, você estará construindo um legado duradouro.

A parte II desse livro apresenta o fruto de décadas de experiência no que chamamos carinhosamente o Dia da vovó e outros momentos de convivência com os netos. Em encontros de casais, reuniões da "Terceira idade", classes de Escola Bíblica Dominical e muitas conversas e correspondências particulares, pessoas têm perguntado a dona Mary-Ann Cox, "O que você FAZ no Dia da vovó?". A resposta está aqui. Juntamos as melhores ideias para atividades com os netos, não para lhe dar uma lista completa, mas para estimular sua própria criatividade e dar o "pontapé" nesse valioso investimento na vida dos seus netos.

Mas lembre-se: Não existem "fórmulas" ou "segredos" para ser uma avó bem-sucedida. Veja o testemunho da Susan Bosak:

> Não existe mágica. Já descobri que a maioria das pessoas simplesmente precisam ser lembradas sobre como construir a "conexão dos avós", para depois usar algumas diretrizes simples... numa maneira que funciona para elas.[49]

Note que o Dia da vovó não é somente para a vovó, mas para o vovô também. Há ideias aqui que talvez melhor combinem com o *vô* do que com a *vó*. Mas juntos podem ter o dobro de diversão!

Aproveite e divirta-se!

---

[49] Bosak, p. 13.

Marcas

O Dia da vovó começou como um dia em que eu poderia fazer as tarefas que nunca havia tempo para realizar com duas crianças pequenas. Então, foi o único dia na semana em que eu poderia trabalhar em projetos e ter algum tempo sem interrupção. Enquanto o número e idade dos netos aumentava, o Dia da vovó evoluia. Os pequeninos passavam a manhã na casa da avó, enquanto os filhos mais velhos estavam ocupados com a escola. Todos almoçavam juntos, um grande ajuntamento dos primos na casa dos avós. Depois os pequenos iam para casa, e os maiores passavam a tarde com a avó. As crianças amavam o Dia da vovó - era o ponto alto da semana. Como mãe, eu valorizava ter a minha mãe investindo em meus filhos, sabendo que ela iria aplicar os mesmos princípios de obediência e respeito que nós trabalhamos em casa. Foi um grande reforço ter outro adulto, diferente de nós, pais, ensinando as mesmas coisas, mas num contexto diferente.

Eu não sei se seremos capazes de medir o valor do investimento feito na vida de nossos filhos. Que privilégio ter uma avó que priorizou passar tempo com seus netos! Passou a semana toda planejando atividades criativas e divertidas para eles, como ler livros ou ter um tempo de compartilhar e oração. Que bênção ter um avô que não se importava em almoçar numa casa cheia de crianças e muito barulho! Que fazia presentes especiais e pinturas individuais para cada neto, ao mesmo tempo em que partilhava palavras de sabedoria e experiência de vida com Deus.

Os jantares de despedida do Dia da vovó também foram muito especiais. A vó fazia todo o possível para honrar cada neto na ocasião da sua formatura do colégio, um sinal do fim dos Dias da vovó. Todos os adultos – pais e tios - eram chamados a servir a refeição e ajudar a tornar memorável esse acontecimento. Além disso, no final da adolescência, os netos viajavam com os avós. O tempo prolongado com os avós deu a cada indivíduo tesouros de valor inestimável e que ninguém poderá roubar deles.

Eu sou grata a Deus pelos avós que ele deu aos meus filhos. Eles são pessoas melhores por causa dos avós. Nenhum deles tem dúvida de que são amados e especiais para os seus avós. Vovô e vovó permanecem ativos na vida de cada neto, na medida do possível, mesmo depois de casados. Eles são uma inspiração para mim.

Carol Sue Merkh, Educadora e Do Lar
Filha do Sr. Davi e dona Mary-Ann Cox;
mãe de seis filhos; avó de quatro.

Dia da VOVÓ

Quando o Dia da vovó começou em nossa família, foi simplesmente uma tentativa de unir o útil ao agradável. A *vó* graciosamente providenciou algumas horas de sossego para as jovens mães, exaustas de trocar fralda, de dizer "não" o dia todo e de correr atrás de crianças elétricas e curiosas. Mas também foi uma oportunidade de curtir os netos e fazer um investimento intencional na vida deles, que cresciam (e se multiplicavam) tão rapidamente.

Aquela multiplicação gerou, ao todo, vinte netos e (até 2011) quatro bisnetos. O Dia da vovó evoluiu no decorrer dos anos, e não parou. Às vezes, os netos mais velhos planejavam as atividades. Às vezes, vovó e vovô marcavam encontros especiais com somente alguns deles. Mas sempre o Dia da vovó foi sinônimo de alegria, aprendizagem, amor e atividade.

Talvez não seja possível marcar um dia ou uma tarde por semana com seus netos. Talvez morem longe, e o Dia da vovó será uma vez por ano. Mas com um pouco de criatividade, o Dia da vovó pode fazer parte do seu investimento estratégico e intencional na vida preciosa dos netinhos. Deixará marcas eternas na vida deles. Como um autor comentou: "Nosso legado mais importante não é o que vamos deixar PARA alguém, mas DENTRO de alguém." Ou conforme o filósofo Péricles: "O que você deixa para trás não é o que fica impresso em monumentos de pedra, mas entrelaçado na vida dos outros."[50]

Como iniciar o Dia da vovó? Basta convidar alguns ou todos os seus netos para passar uma manhã ou uma tarde em sua casa, com o dia previamente acertado com os pais, é claro. Planeje algumas atividades especiais, tentando juntar o "útil ao agradável" – atividades de lazer, passeios, refeições especiais, jogos de mesa, projetos manuais, junto com atividades de natureza mais "espiritual" e didática. Ler bons livros, assistir DVDs marcantes, realizar projetos de serviço e orar uns pelos outros.

Susan Bosak, em seu livro *How to Build the Grandma Connection* (*Como Estabelecer a Ligação com a Vovó*) sugere alguns dos benefícios de um investimento próximo de avós na vida dos netos:[51]

---

[50] Bill Brown, *Cedarville University Inspire*, Primavera, 2008, p. 44.

[51] Adaptado e traduzido de Susan Bosak, *How to Build the Grandma Connection*, p. 19-24.

Recordações

Pelo fato de termos o Dia da vovó a cada semana, foi inculcado em nós muito cedo a importância da família, tanto imediata como estendida.

Durante todo o tempo que o *vô* e a *vó* passaram conosco, eu observei e apreciei os investimentos que fizeram.

Meu relacionamento com meus avós amadureceu através dos anos, passando de obediência para respeito mútuo e amizade.

Viajar com meu avô para os índios me ajudou a presenciar de perto sua paixão pelo evangelho e sua paixão por nós, seus netos.

Daniel Merkh (casado com Rachel)
Tenente da Aeronáutica dos EUA, Segurança Nuclear

BENEFÍCIOS PARA OS NETOS

1. As crianças descobrem quem são e de onde vieram.
2. As crianças se sentem especiais.
3. As crianças podem receber atenção individual sem concorrência.
4. As crianças têm alguém de confiança com quem falar e compartilhar.

5. As crianças aprendem de professores pacientes e experientes.

6. As crianças aprendem a interagir com pessoas mais velhas e o mundo delas.

BENEFÍCIOS PARA OS AVÓS

1. Recebem os privilégios e as alegrias de ter "filhos" sem a responsabilidade de ser pai.

2. Têm uma "segunda chance" para acertarem em áreas onde erraram com os próprios filhos.

3. Segundo algumas pesquisas, avós ativos vivem mais e de forma mais saudável, com menos perda de memória e doenças; também experimentam menos depressão e maiores índices de satisfação e alegria.

4. São valorizados pela sua idade e experiência de vida.

5. Continuam crescendo e aprendendo com os próprios netos (como usar a internet, por exemplo!).

6. Deixam um legado vivo, um recado enviado para o futuro nas mãos dos netos.

Roger Palms em seu livro *Celebrando a Vida Depois dos 50* ressalta como é benéfico para os avós o relacionamento com os netos. Cita o exemplo de Noemi, sogra de Rute e avó de Obede, bisavó de Jessé e tataravó do rei Davi: *Ele (o neto) será restaurador da tua vida, e consolador da tua velhice, pois tua nora, que te ama, o deu à luz, e ela te é melhor do que sete filhos* (Rute 4:15). Palms comenta:

Há algo maravilhoso a respeito dos filhos dos nossos filhos...Eles nos renovam e nos trazem regozijo. Não é isso uma dádiva maravilhosa que Deus nos dá nos últimos anos da nossa vida? Uma das mais belas coisas que o salmista poderia desejar para nós foi esta: "E verás os filhos de teus filhos" (Salmos 128:6).[52]

BENEFÍCIOS PARA OS PAIS

1. Encontram em seus pais pessoas em quem podem confiar, pedir conselho, desfrutar da sabedoria de experiência.

2. Passam para uma nova fase, muitas vezes, melhor, em seu relacionamento com seus pais.

3. Têm pessoas de confiança para ajudar na criação dos filhos.

Outro benefício paralelo, resultado do Dia da vovó, acontece na vida dos primos, que muitas vezes se tornam como irmãos. Muitas pessoas têm comentado sobre a maneira pela qual os muitos primos da nossa família se dão tão bem juntos. Não somente se amam; se gostam!

Ter um Dia da vovó pode até exigir coragem no início para algumas avós (dependendo da criação e disciplina dos netos!), mas lembre-se que o alvo é impactar a vida e criar memórias inesquecíveis com os avós.

---

[52] Palms, p. 120.

Mesmo que você não consiga um dia por semana ou um dia por mês, um Dia da vovó ocasional contribuirá muito para o desenvolvimento dos netos - e para a sanidade mental de suas mães!

O PROGRAMA NORMAL DO DIA DA VOVÓ

Embora criatividade seja o "tempero" que dá gosto para a vida, a constância e consistência do Dia da vovó servem como o "arroz e feijão" que dá saúde e estabilidade à vida. NÃO PRECISA PLANEJAR GRANDES ATIVIDADES EM CADA ENCONTRO COM OS NETOS; caso contrário, logo você desfalecerá, os netos criarão expectativas irreais, e tudo vai parar. Melhor ter um tempo simples e regular, com algumas atividades especiais de vez em quando. Não precisa gastar dinheiro a não ser em momentos oportunos e especiais.

O Dia da vovó, como normalmente acontece, consiste em cinco elementos básicos. Note que não há nada sagrado nesta ordem ou até mesmo nestes elementos. Mas decidimos apresentá-los assim para dar ideia do que normalmente acontece e do que tem dado muito certo.

1. REFEIÇÃO JUNTOS

Normalmente os netos chegam à casa da *vó* depois dos seus estudos na parte da manhã. Por isso, o "Dia" começa com o almoço. Se seus netos estudam à tarde você pode fazer uma Noite da vovó.

Em outro capítulo do livro, vamos apresentar algumas ideias e até receitas para refeições SIMPLES e divertidas para crianças. Mas comer juntos não é simplesmente tomar uma refeição em conjunto. Conforme o modelo bíblico, refeições compartilhadas são momentos de comunhão e interação. Durante a refeição, você pode pedir para cada neto falar sobre uma alegria, um pedido de oração, um novo amigo, uma dificuldade que está enfrentando. Podem compartilhar motivos de gratidão, seu programa predileto de televisão, o resultado do seu último jogo ou a música que está aprendendo a tocar.

A refeição também fornece oportunidades de serviço mútuo. Os avós não precisam servir tudo ou esperar que a ajudante da casa assim faça. Os netos precisam saber pôr uma mesa, retirar pratos e talheres e também lavar louça. A *vó* pode designar tarefas diferentes para cada neto a

Recordações

Uma coisa que amo sobre o Dia da vovó é que nos encoraja a passar tempo, não somente com nossos avós, mas com nossos primos. Na nossa família, temos o Dia da vovó quase toda semana. Adoro o fato de que tenho uma tarde inteira para passar com minha avó e com meus primos. Almoçamos juntos, limpamos a cozinha, fazemos projetos, brincamos, lemos e oramos juntos. Como resultado, meus primos são meus melhores amigos!

Keila Merkh (16 anos, estudante)

cada semana, mas também se espera que ensine a importância da criança VER o que precisa ser feito e TOMAR A INICIATIVA de servir.

2. LEITURA DE UM LIVRO JUNTOS

Depois da refeição, fica bem a leitura de um ou mais capítulos de um livro apropriado para a idade dos netos presentes. Se os netos tiverem idades muito diferentes, talvez seja necessário fazer essa leitura em duas partes, primeiro com os mais jovens, depois com os mais velhos. Outra possibilidade seria pedir para os mais velhos lerem (ou até dramatizarem a leitura) para os mais novos.

Verifique que ao terminar o tempo de leitura com as crianças elas queiram ler mais, não menos. Assim ficarão com grande expectativa para o PRÓXIMO Dia da vovó e a continuidade da leitura.

3. COMPARTILHAR (AGRADECIMENTOS E PEDIDOS)

Separe um tempo, além da refeição, para as crianças mencionarem motivos de gratidão e também pedidos de oração. Serão momentos preciosos para todos, mesmo que breves (especialmente com crianças pequenas). E abrirão uma janela à alma da criança que aproxima os avós e os netos.

4. ORAÇÃO

O tempo de oração deve incluir gratidão e pedidos, não somente dos netos e avós, mas das suas famílias, de amigos e outros parentes, das igrejas e da sociedade. Pode variar a maneira pela qual oram. Uma ideia que tem funcionado para nós é fazer com que cada neto que ora chame o nome de um primo para fazer a próxima oração e assim por diante.

5. ATIVIDADE

"Fazer coisas juntos dá aos filhos
não apenas o senso de ser amado,
mas também de pertencer".
John M. Drescher

Recordações

Não tenho uma lembrança específica e preferida do Dia da vovó, porque amei todos os aspectos dele. Mas em termos gerais, o Dia da vovó fez com que todos nós primos fôssemos melhores amigos, e também com que conhecêssemos nossos avós muito bem. Sabemos, sem sombra de dúvida, que realmente nos amam e fariam qualquer coisa para nos ajudar na hora da necessidade. Quando lembro-me do Dia da vovó, só posso sorrir com aquele sentimento de calor humano bem dentro em mim, porque traz tantas memórias alegres do legado maravilhoso que eu quero continuar com meus filhos, se Deus assim permitir.

Elizabeth Cox (19 anos, estudante)

Terminada a parte mais "parada" do Dia da vovó, chegou a hora das atividades especiais planejadas para fazerem juntos. Como já mencionamos, nem sempre será um "espetáculo", um passeio caro ou atividade que requer muito planejamento. Muitas vezes, a atividade consiste num jogo de mesa, uma partida de futebol no quintal, um passeio no parque, talvez natação na piscina de um amigo ou um tempo para assistir um DVD escolhido a dedo.

Nem sempre todas as crianças poderão ou desejarão participar em cada atividade. Na medida do possível, deve-se procurar atividades que envolvam todos, mas use o bom senso antes de forçar a participação.

A parte final desse livro apresentará muitas ideias para estimular sua própria criatividade com sugestões de atividades para o Dia da vovó e outros momentos de investimento nos netos. Como disse um autor,

> Avós criativos carregam memórias em seu coração e amor em sua alma. Avós criativos vão além de simplesmente "exibir" seus netos como se fossem troféus. Avós criativos querem ser uma parte importante da vida dos netos. Querem inculcar valores cristãos neles. Querem derramar sobre eles amor e aceitação. Querem construir um relacionamento que durará uma vida inteira. Avós criativos investem sua vida e sua alma em seus netos, e fazem uma diferença tremenda em sua vida.[53]

---

53 Schreur, p. 14, 15.

Recordações

O Dia da vovó era bem especial para mim, como mãe, por vários motivos...

Primeiro, era uma dia que todos meus filhos esperavam com muito entusiasmo, pois gostavam MUITO de passar o dia com "Grandma", fazendo coisas diferentes e tendo uma dia especial com os primos. Mesmo quando eram menores ou tinham outras coisas para fazer, o Dia da vovó sempre era prioridade para eles.

Segundo, era um dia que eu tinha para "gastar" comigo; quando eles eram menores eu separava aquele dia para fazer compras sem ter que me preocupar em arranjar uma babá para ficar com eles. Podia reservar aquele dia para me concentrar em um projeto pessoal, ou simplesmente passar algumas horas lendo um bom livro sem interrupções a cada 5 minutos. Algumas vezes eu e meu marido aproveitamos o Dia da vovó para saírmos juntos.

Terceiro, era uma ótima oportunidade que meus filhos tinham de ser discipulados pelos avós, através de disciplina, divertimento, projetos, leitura, tempo devocional e muitas outras maneiras criativas. Também podiam conhecer melhor os avós e primos, tendo a oportunidade de crescer juntos.

O LEGADO DOS AVÓS

Lembro-me de muitas vezes entrar na casa deles durante o Dia da vovó e ver todos trabalhando na cozinha, limpando depois do almoço, jogando, compartilhando pedidos de oração, orando uns pelos outros, assistindo algum programa especial da TV, lendo uma série de algum livro, ou uma biografia, fazendo algum projeto especial de Natal, enfim, faziam o que ela havia planejado para aquele dia.

Hoje quando falamos em casa sobre o Dia da vovó é sempre uma conversa positiva, de muita risada e lembranças saudáveis. Meus sogros tiveram e continuam tendo grande participação na vida espiritual, emocional e social de meus filhos. Muitos conselhos, "broncas", incentivos e tempo foram usados na vida de meus filhos e isso é um grande presente que eles nunca esquecerão.

O *vô* também fez discipulado com nosso filho mais velho, Kevin, e isso o ajudou muito em suas batalhas espirituais. Kevin fala daquele tempo com saudades. A *vó* ensinou dois dos meus filhos a ler e escrever (em inglês), durante os três primeiros anos da escola. Muito tempo e paciência, e para mim foi um ato de amor.

Mirian Cox
Mestra em Ministério, mãe de 4 filhos,
nora da dona Mary-Ann Cox

*Mesmo que o primeiro terço da sua vida
seja dominado pelos seus pais,
e o segunda terço pelos seus filhos,
você ainda tem os netos para salvar
o que resta.*[54]

---
54 Janet Lanese, p. 62.

101 ideias criativas

REFEIÇÕES

A não ser que você tenha uma secretária para ajudar fazer a refeição do Dia da vovó, você provavelmente vai querer oferecer pratos simples, mais do tipo lanche do que uma refeição completa. Ótimo! As crianças adoram muito mais os lanches e não fazem questão de grandes banquetes, que nós pais e avós apreciamos.

Aproveite para tornar esses momentos corriqueiros em ocasiões inesquecíveis. A seguir, apresentamos algumas ideias interessantes para dinamizar o tempo de comer juntos. Não precisa programar "ideias criativas" cada vez que os netos estejam em casa, mas de vez em quando, algo inesperado serve para criar memórias preciosas.

1. PIQUENIQUE

Uma das refeições prediletas (e mais frequentes) com nossos netos é um piquenique. Basta preparar a "cesta" com sanduíches, frutas, suco e sobremesa e escolher o lugar, que deve variar de tempo em tempos: um parque, um shopping, a própria sala de estar da casa, o zoológico, o quintal ou varanda.

2. ALMOÇO DO AVESSO

Nesta refeição tudo será feito ao contrário. Os netos devem usar roupa pelo avesso. Comece com a sobremesa e termine com a oração. Se quiser, a conversa pode ser de "opostos", ou seja, tudo é falado no sentido contrário. Pode comer com a mão esquerda (se é destra) ou vice-versa. Que tal comer em pé, em vez de sentados?

3. O PRATO DOURADO

Você deve comprar ou criar um "prato dourado", ou seja, um prato especial, diferente dos demais em algum aspecto e que sinaliza honra e destaque. De tempos em tempos, conforme ocasiões especiais (aniversários, formaturas, reconhecimentos especiais) separe esse prato para marcar o lugar da pessoa que será homenageada. Nessa refeição ele ou ela deve ter "direitos" especiais — uma porção dobrada de sobremesa, isenção da limpeza e arrumação, talvez uma palavra de "parabéns" vindo de cada primo presente.

4. PRATOS ESCONDIDOS

Para criar suspense na hora de comer, esconda porções da refeição em salas, quartos, na varanda, no escritório ou

101 ideias criativas

Recordações

Amo meus avós pelo tanto que me amam e investem em minha vida; eles se importam e conversam comigo. Também me deram a oportunidade de viajar para fora dos EUA e ver que o mundo não é tão confortável e rico como nos EUA, e me deram o exemplo de trabalho diligente.

Minha lembrança predileta do Dia da vovó foi quando fizemos o "Dia do Avesso" – foi muito divertido!

Marc Anderson (15 anos, estudante)

Minha recordação predileta do Dia da vovó foi o "Dia do Avesso". Todos nós pusemos nossa roupa pelo avesso e fizemos tudo de trás para frente, inclusive a refeição. Começamos com a sobremesa, depois o prato principal e finalmente oramos. Foi muito divertido!

Keith Michael Anderson (16 anos, estudante)

outros lugares higiênicos (use sacos plásticos para evitar qualquer contaminação). A *vó* pode criar enigmas e depois dar pistas para os netos descobrirem onde cada parte da refeição foi escondida.

5. JANTAR PROGRESSIVO[55]

Planeje um jantar em várias casas ou lugares distintos (pode até ser cômodos diferentes da mesma casa). Sirva uma parte da refeição em cada uma delas (entrada, salada, prato principal, sobremesa).

Reúna os netos e percorram juntos o roteiro do jantar. Em cada lugar, além de parte da refeição, envolva-os em alguma atividade - quem sabe, uma das ideias deste livro.

6. JANTAR CHIQUE

Aproveite a oportunidade de um jantar "elegante" para ensinar a seus netos princípios de boas maneiras. No dia do jantar, os próprios pais e avós podem servir as mesas. O jantar pode ser à luz de velas, com a mesa posta com os melhores pratos e talheres da casa. Prepare seus netos para momentos na vida em que terão que demonstrar sua educação em eventos sociais. (Veja o capítulo "boas maneiras" para mais ideias do que ensinar.)

7. JANTAR MISTERIOSO[56]

Há muitas maneiras de criar suspense e alegria numa refeição simples. Na nossa família, certa vez as netas

---

[55] Adaptado do livro *101 Ideias criativas para grupos pequenos,* David J. Merkh (SP: Hagnos), pp 62-63.

[56] Idem , p. 64.

101 ideias criativas

planejaram um jantar misterioso no qual prepararam um "cardápio misterioso" com 16 itens. [Para entender melhor, veja a seguir. Cada convidado recebe o "Cardápio Misterioso", mas o Cardápio Chave (gabarito) fica na cozinha.] Os itens são divididos em 4 grupos, representando todos os elementos que seriam a refeição.

Grupo	Cardápio Misterioso	Cardápio Chave
___ Nome: _____		
A	___ Pá de lixo	Palito de dente
	___ Tridente	Faca
	___ Serrote	Garfo
	___ Bigode de gato	Colher de sobremesa
B	___ Asa de mosca	Batata
	___ Perninha de aranha frita	Morango
	___ Mosca torrada	Aperitivo em palito
	___ Pulga à milanesa	Guardanapo
C	___ Besouro no espeto	Biscoito
	___ Ninho de cobra	Molho
	___ Lagartixa ensopada	Copo
	___ Casquinha de barata crocante	Carne
D	___ Urtiga	Suco
	___ Piolho assado	Sorvete
	___ Miolo de cobra congelado	Pão
	___ Veneno de escorpião	Salada

Só que, em vez do nome correto, inventam um nome criativo, QUE NÃO NECESSIARIAMENTE REPRESENTA O QUE SERÁ SERVIDO. Por exemplo, pode listar no cardápio misterioso um item do tipo "tridente", mas que pode representar "arroz" e não necessariamente um garfo.

Na hora da refeição, cada convidado escolhe um item de cada grupo (A, B, C, D), colocando números de 1 a 4 na frente dos itens em cada grupo. A "garçonete" leva o pedido para a cozinha, onde confere com o cardápio chave e monta aquela etapa da refeição para cada pessoa. Os hóspedes precisam usar somente o que foi entregue em cada etapa, que depois será retirado, antes de passar para a segunda, repetindo o processo até completar todas as etapas. Você e seus netos nunca se esquecerão dessa refeição tão divertida!

8. LIMPEZA

Os netos precisam saber que a limpeza faz parte da refeição e nem sempre haverá alguém esperando para servi-los. O alvo é incentivá-los a tomar iniciativa para servir a outros, sem ser pedido.

Normalmente designamos tarefas para os netos antes e depois das refeições. Para distribuir as tarefas, que tal colocar os nomes de todos os presentes em tiras de papel numa tigela; ao anunciar cada tarefa, alguém escolhe uma tira e a pessoa sorteada terá que desempenhá-la. Ou pode colocar o nome das tarefas na tigela e os netos, um de cada vez, escolhem sua responsabilidade. Se tiver mais netos que tarefas, pode escolher somente alguns nomes cada semana, mas sem devolver seus nomes para a tigela até que todos tenham desempenhando uma função.

O alvo é deixar a cozinha e sala totalmente limpas, em honra aos avós.

Exemplos de tarefas:

- Pôr a mesa
- Tirar a mesa
- Varrer o chão
- Lavar louça
- Secar
- Guardar os pratos

9. SAÍDAS ESPECIAIS

Não é necessário gastar muito dinheiro para o Dia da vovó ser um sucesso. Mas, de vez em quando, você pode marcar uma saída especial para um lanche ou refeição simples. Temos saído para comer pastéis e tomar milk shakes com os netos, e depois vamos a um parque da cidade. Visitar sua sorveteria predileta ou uma padaria com pães especiais é uma alternativa.

10. JANTAR CHIQUE DO SUPERMERCADO[57]

Em vez de levar os netos para comer fora cada vez que visitam você, que tal esta ideia: estabeleça um valor limite para ser gasto pelos netos no supermercado. Cada um pode opinar sobre as compras ou os avós podem deixar os próprios netos fazerem tudo. A única regra é que não podem ultrapassar o valor estipulado e não podem suplementar a refeição com alimentos já existentes em casa.

---

[57] Ideia adaptada do nosso livro *101 Ideias criativas para a família* pela Editora Hagnos.

Depois, voltem para casa para fazer seu "jantar chique do supermercado".

Essa ideia traz muitos benefícios: ensina as crianças a trabalharem juntas, orçar dinheiro, reconhecer os limites no poder de compra e o valor das coisas. Além disso, é muito divertido e todos devem comer bem, e gastamos bem menos que no restaurante!

11. DESTINO DESCONHECIDO

De vez em quando temos levado os netos para um lugar totalmente desconhecido, algo que sempre cria suspense, expectativa e muitas tentativas de adivinhar o destino. Entram no carro (podem até ser vendados) sem saber para onde vão. Seja uma sorveteria, pizzaria, ou padaria, vão adorar os momentos de suspense e a descoberta da surpresa.

12. DECÊNCIA E ORDEM

Dependendo do número e idade dos netos, as refeições em conjunto podem virar uma bagunça barulhenta, quase insuportável, especialmente para ouvidos um pouco mais "experientes"! Não queremos abafar a alegria, mas direcioná-la durante um tempo.

Para ajudar a manter certa decência e ordem será preciso estabelecer alguns princípios de conduta à mesa: não falar enquanto o outro está falando; não interromper; não gritar, jogar comida ou usar termos rudes.

Para ajudar a controlar a bagunça, que tal iniciar um momento relâmpago de compartilhar durante a refeição. Por exemplo, pedir que cada um compartilhe duas ou três qualidades de caráter do primo sentado ao lado; ou com olhos fechados, recordar a cor da camisa da pessoa à esquerda na mesa; pode dar provinhas de memória, como o mês de aniversário de cada um sentado à mesa. (Para mais ideias para um compartilhar criativo, veja o capítulo "Compartilhar".)

13. CONVIDADO DE HONRA

Que tal convidar uma pessoa com história de vida bonita que servirá como incentivo e exemplo para seus netos. Peça que os netos pensem em perguntas que gostariam de fazer ao convidado. Procure destacar valores, princípios e qualidades de caráter que podem marcar para sempre a vida dos seus netos. Se quiser, pode registrar os momentos num caderno, gravar ou filmar a entrevista.

Também é uma maneira de incluir hóspedes que porventura estejam em casa no Dia da vovó.

Recordações

Passei muitas horas na casa da minha *vó* — aprendendo a fazer comidas especiais na cozinha, enfeitando juntas a casa para o Natal, conversando... Aprendi com ela — a colocar o alvo de ser como a mulher em Provérbios 31.

Michelle (Merkh) Zemmer,
casada com Ben, mãe de Davi e Tiago
Educadora e do Lar

RECEITAS

A seguir, apresentamos algumas das receitas simples e prediletas dos nossos netos. São mais no estilo de lanche e *"fast food"* do que refeições completas, mas as crianças adoram.

Experimente essas e acrescente suas próprias receitas para tornar as refeições momentos inesquecíveis para netos e avós.

• LANCHES

14. PANQUECAS[58]

> 1 1/4 xícaras (de chá) de farinha de trigo
> 1 colher de sopa (cheia) de fermento em pó (Royal)
> 1 colher de sopa de açúcar
> 1/2 colher de sobremesa de sal
> 1 ovo inteiro batido
> 1 1/4 xícaras de leite
> 1 colher de sopa de óleo

Peneirar os ingredientes secos. Misturar o ovo, o leite e o óleo e adicionar aos ingredientes secos, mexendo apenas o suficiente para umedecer a farinha.

A massa deverá ficar grossa e um pouco empelotada e não lisa e líquida. Com o auxílio de uma colher, despeje a massa na frigideira ou chapa quente levemente untada. Quando aparecerem bolhas, vire a panqueca para fritar do outro lado.

---

[58] *Better Homes and Gardens New Cook Book*, Revised Edition, Seventh Printing, p. 79.

Servir com melado, mel, calda de açúcar ou outra calda de sua preferência.

15. SANDUÍCHE DE PRESUNTO E QUEIJO

Pode fazer com manteiga ou maionese ou pode torrar colocando o presunto e o queijo dentro e a manteiga no pão por fora antes de torrar.

16. SANDUÍCHE DE BACON, ALFACE E TOMATE

Frite o bacon e acrescente maionese, alface e tomate.

17. SANDUÍCHE "SLOPPY JOE"[59]

1 quilo de carne moída
2 colheres de sopa de mostarda
1 colher de chá de alho com sal ou 2 dentes de alho picados
1 a 2 colheres de sopa de pimenta malagueta ou 8 colheres de chá de molho de pimenta
2 colheres de sopa de molho inglês
2 latas pequenas de extrato de tomate
¼ colher de chá de pimenta do reino
Água

Fritar a carne em pouco óleo. Adicionar os temperos, o extrato de tomate e mais 2 latas de água. Para engrossar pode-se usar amido de milho (Maizena) dissolvido em um pouco de água ou ½ pacote de queijo ralado. Se estiver com gosto muito forte, adicionar um pouco mais de água.

---

[59] Audre Parrot, *Receitas Culinárias* em português e inglês, SP: Pan American Christian Academy Bi-lingual Cook-Book, 1977, p. 83. A PACA já lançou uma segunda edição de receitas, que pode ser encomendada na escola.

Servir quente, dentro ou em cima de pães redondos para hambúrguer. Serve até 24 pessoas.

18. PÃO DE MINUTO

>2 xícaras de farinha de trigo
>1 colher de sopa de fermento em pó (Royal)
>2 colheres de chá de açúcar
>1/2 colher de chá de sal
>1/2 xícara de margarina
>2/3 xícaras de leite

Misturar os ingredientes secos. Juntar a margarina aos ingredientes secos e cortar até que todos os pedacinhos de margarina estejam parecidos com ervilhas. Adicionar o leite e misturar bem. Espalhar a massa até 1 centímetro de grossura. Cortar a massa em círculo, usando um copo. Assar em forno quente por 10 minutos. Quantidade: 10-12 pãezinhos.

19. "O PORQUINHO NUM COBERTOR"

Fazer uma massa de pão de minuto (veja acima) e abrir a massa em quadrados. Enrolar uma salsicha na massa. Assar. A salsicha é o porquinho e a massa é o cobertor!

20. BATATA INGLESA

Lavar e fazer um furo com um garfo na batata com casca. Assar por uma hora no forno médio até ficar macio. Também é possível cozinhar no micro-ondas. Servir quente com uma variedade de recheios colocados na batata aberta. Pode servir com manteiga, estrogonofe, queijo, molho de milho ou o que quiser.

21. SANDUÍCHES QUENTES DE ATUM[60]

1 lata de atum
2 colheres de sopa de cebola picada
4 ovos cozidos duros e picados
2 colheres de sopa de picles picados
250 gramas de queijo picado
2 colheres de sopa de pimentão verde picados.

Juntar todos os ingredientes com ½ xícara ou mais de maionese. Rechear pãezinhos para cachorro quente com a mistura. Embrulhar cada um em papel alumínio e colocar no forno médio para esquentar durante 20 minutos. Rende 8 ou 10 sanduíches.

• DOCES (SOBREMESAS)

22. BROWNIES[61]

1 ½ xícara de farinha peneirada
4 ovos
1 xícara de óleo vegetal
2 xícaras de açúcar
10 colheres de sopa de cacau
2 colheres de chá de baunilha
1 colher de chá de sal
¾ xícara de nozes picadas

---

60 Receita de Karen Williams, Livro de Recitas PACA, p. 95.

61 Receitas Culinárias, PACA, p. 105.

Colocar todos os ingredientes na tigela grande da batedeira. Bater na velocidade média por 3 minutos. Assar em forma retangular, forno moderado (180°C) por 35 minutos.

23. QUADRADINHOS DE LIMÃO[62]

1 xícara de margarina
1 colher de chá de fermento
2 xícaras de farinha
4 ovos batidos
½ xícara de glaçúcar
6 colheres de sopa de suco de limão
2 xícaras de açúcar
4 colheres de sopa de farinha
Raspas de limão

Misturar a margarina, farinha e o glaçúcar. Apertar a mistura em uma assadeira. Assar 15 minutos a 180°C. Enquanto espera, peneirar o açúcar, farinha e fermento; adicionar os ovos, suco e as raspas de limão. Misturar bem. Espalhar na massa já assada e levar ao forno (180°C) por 25 minutos. Esfriar e cortar em quadradinhos. Polvilhar com glaçúcar. (Esta receita rende 36 quadradinhos, mas pode ser facilmente quadruplicada para servir um grupo grande.)

24. BOLACHAS DE PEDAÇOS DE CHOCOLATE (CHOCOLATE CHIP COOKIES)

½ xícara de açúcar comum
½ xícara de açúcar mascavo

---

[62] Mary Fawcett, Receitas Culinárias, PACA, p. 109

1/3 xícara de margarina

1/3 xícara de gordura vegetal

1 ovo

1 colher de sobremesa de baunilha

1 ½ xícara de farinha de trigo

½ colher de sobremesa de bicarbonato de sódio

½ colher de sobremesa de sal

Pedacinhos de chocolate (à vontade!)

Esquentar o forno até 180°C. Misturar açúcar comum, açúcar mascavo, margarina, gordura vegetal, ovo e baunilha. Adicionar os outros ingredientes. Colocar a massa num tabuleiro untado. Assar até dourar (8 a 10 minutos). Tirar da assadeira depois de esfriar.

25. BOLACHAS DE CREME DE AMENDOIM

½ xícara de gordura vegetal

1 xícara de açúcar

½ xícara de pasta de amendoim (Amendocrem)

1 ovo

1 ½ xícara de farinha de trigo

½ colher de sobremesa de sal

1 colher de sobremesa de bicarbonato de sódio

Esquentar o forno até 180°C. Bater a gordura e o açúcar. Adicionar a pasta de amendoim e o ovo batido. Misturar os ingredientes secos e adicionar à mistura. Com a massa fazer pequenas bolas e achatar com o garfo. Assar de 12 a 15 minutos até dourar.

26. BISCOITOS DESAPARECEDORES

Misturar:

½ xícara de gordura vegetal
1 xícara de açúcar
1 ovo

Juntar e depois adicionar à primeira mistura:

½ xícara de chocolate em pó
1 ½ colher de sobremesa de baunilha
¾ xícara de farinha de trigo
1 colher de sobremesa de sal
1 ¼ xícara de aveia.

Misturar bem. Pingar em tabuleiro untado. Assar por 10-12 minutos num forno de 170°C.

101 ideias criativas

COMPARTILHAR

Existem várias maneiras de dinamizar esse tempo em que netos e avós compartilharão seus corações, abrindo assim uma janela à alma dos netos.

Essa ideia da "janela aberta" serve como alerta para os adultos aproveitarem os momentos em que o neto abre, mesmo por pouco tempo, uma janela para seu mundo interior. Alguns têm observado que cada um de nós tem três "mundos":

1) O mundo público (que todo mundo vê).

2) O mundo particular (que nossa família e outras pessoas chegadas veem).

3) O mundo privativo (que somente se vê por convite especial).[63]

Admite-se para o último mundo pessoas especiais que são de confiança para ouvir os sonhos, as decepções, as alegrias e tristezas mais íntimas. É muito importante para o avô ou a avó reconhecer quando esses momentos se apresentam e também permitir que ambientes propícios para tal sejam criados no Dia da vovó. Algumas ocasiões em que crianças costumam abrir seus corações incluem:

- a hora de dormir
- um passeio à noite debaixo de um céu estrelado
- ao redor de uma fogueira
- em tempo particular com um dos avós
- depois de uma grande derrota ou decepção
- em ambientes nos quais se sente segura e amada

---

[63] Adaptado de Ezzo, Gary and Anne Marie. *Growing through the Middle Years*.

Precisamos desenvolver uma sensibilidade muito grande para não desperdiçar ou pisar nessas oportunidades na vida de nossos netos. Quando a criança abre a janela da sua alma, não é a hora de entrar e fazer um novo arranjo dos móveis do quarto do seu coração, ou seja, dar broncas, lecionar, criticar ou falar "não te disse". É hora de ouvir, sentir, compadecer-se e compreender. Em alguns casos, os avós são as pessoas melhor colocadas para que o compartilhar aconteça.

No Dia da vovó existe a possibilidade de criar momentos propícios para esse nível de compartilhar, sem forçá-lo. A seguir, veja algumas ideias para um tempo saudável de compartilhar.

27. BATE-PAPO

A forma mais comum de compartilhar no Dia da vovó é um tempo informal, dirigido pelos avós, em que os netos compartilham naturalmente, cada um por sua vez, os eventos mais importantes em sua vida. É impressionante quantas coisas aprendemos da vida dos nossos netos nestes momentos de compartilhar sincero. Se for preciso, dê um tempo específico (limitado) para cada um falar, mas o melhor será deixá-los à vontade para compartilhar como quiserem.

28. MOTIVOS DE GRATIDÃO

Sempre cai bem começar com um momento em que cada neto compartilha algum(ns) motivo(s) de gratidão: *Em tudo dai graças* (1Tessalonicenses 5:19). Se precisarem de ajuda, sugira áreas específicas nas quais talvez tenham motivos para agradecer a Deus: família, amigos, escola, esporte ou igreja. É sempre bom terminar esses momentos com orações de gratidão a Deus.

29. PEDIDOS DE ORAÇÃO

Dê oportunidade para todos compartilharem pedidos pessoais em qualquer uma das áreas mencionadas acima. É bom incluir pedidos suficientemente específicos e mensuráveis para que, num futuro Dia da vovó, as respostas "Sim", "Não" ou "Ainda não" possam ser compartilhadas e todos vejam a mão de Deus operando. Encoraje as crianças a orar pelas preocupações reais de sua vida e família e nunca despreze suas expressões simples de fé. Certa vez, Gaston Bachelard disse: "Mesmo um evento pequeno na vida de uma criança é um evento do mundo daquela criança, e por isso um evento mundial."[64]

Os netos vão compartilhar pedidos por bichos de estimação, brinquedos quebrados, amiguinhos doentes e muito mais. Tudo é importante para seu Pai celestial! (1Pedro 5:7).

30. UMA VITÓRIA E UMA DERROTA

As crianças podem compartilhar um grande sucesso e algum fracasso que experimentaram desde a última vez que todos estiveram juntos.

31. MEU MELHOR AMIGO

Peça que cada um compartilhe o nome do seu melhor amigo e por que são tão chegados.

---

[64] Gaston Bachelard, citado em Lanese, p. 86.

32. DESAFIOS ESCOLARES

No mundo infantil, provas na escola, atritos com colegas, a vida dos professores, projetos e tarefas representam enormes desafios. Encoraje os netos a compartilhar suas lutas na escola e ore com eles, lembrando que seus netos enfrentam um "campo missionário" cada dia que entram na escola. Orem juntos pelo seu testemunho diante de todos.

33. ORAÇÃO CIRCULAR

Nossos netos gostam de variar a postura e o método de oração. Às vezes, formam um círculo com mãos dadas, e um apertar de mão sinaliza quando é a vez do próximo orar. Outras vezes, designamos uma pessoa para orar e, assim que terminar, anunciar o nome do próximo que deve orar, e assim por diante até "fechar o círculo".

34. ALGO QUE APRENDI

Cada um deve falar sobre uma lição que aprendeu, uma nova habilidade, um *hobby*, uma aula, um versículo bíblico, que ilustra como cada um está crescendo em estatura, sabedoria e favor diante de Deus e dos homens (Lucas 2:52).

35. NÃO GOSTO QUANDO PESSOAS...

O compartilhar sobre coisas que não gostamos que outras pessoas façam talvez revele mais sobre cada um de nós. Pensando nisso, proponha que seus netos completem a seguinte frase: "Não gosto quando as pessoas _____." Mas tome cuidado para que essas revelações não sirvam de "munição" para os primos atacarem um ao outro!

36. SE EU PUDESSE MUDAR UMA COISA...

Peça que cada um preencha o espaço nas seguintes categorias: "Se eu pudesse mudar uma coisa..."

- na minha escola seria...
- na minha casa seria...
- no meu corpo seria...
- na minha igreja seria...
- no mundo seria...

37. MEU _____ PREDILETO...

Faça um "rodízio" relâmpago em que cada um preencha o espaço sobre o que mais gosta nas seguintes áreas (se quiser, tome mais tempo e peça que escrevam o por quê de cada item):

Brinquedo

Amigo

Refeição

Fruta

Dia

Cor

Animal

Carro

Esporte

TRADIÇÕES E PROJETOS

Tradições deixam marcas que preservam o legado familiar e dão segurança aos netos. São âncoras em meio à turbulência das mudanças constantes dos nossos dias. "No mundo de hoje, em que a cultura muda sempre e os referenciais flutuam como modismos, é importante que as crianças saibam sua origem (não vieram do vácuo) e seu rumo (não estão vagando num vazio.)"[65]

Hoje alguns menosprezam tradições, ignorando o passado enquanto imaginam que estão reinventando a roda. Perdem a preciosidade que vem pela preservação de valores por meio de costumes, de ritos, de passagem e de celebrações.

Em seu livro, *Creative Grandparenting* (Avós Criativos), os autores Jerry e Jack Schreur sugerem que:

> Quando morre um idoso, uma biblioteca desaparece [...] Avós criativos podem ser verdadeiras bibliotecas de história, especialmente a história da família. Nosso papel é de lembrar o que veio antes; saber quem fez algo importante ou vergonhoso, e por que...
>
> Uma das razões por que jovens hoje lutam tanto com a formação da sua identidade é porque perderam os pontos de contato com suas famílias. Não sentem continuidade com o passado.[66]

---

65 Gomes, p. 18.

66 Schreur, p. 63.

101 ideias criativas

A própria casa dos avós pode constituir uma "tradição" familiar. Muitos têm lembranças especiais e até mesmo sentimentais quando recordam aquele lugar aconchegante, de segurança e calor humano que era a casa da *vó*. Os avós precisam levar à sério como vão preparar a própria casa para ser o lugar especial para seus netos.

Dependendo do nível de habilidade e criatividade dos avós, é possível desenvolver alguns projetos manuais como lembranças, enfeites, artesanato, tudo fruto do Dia da vovó.

Natal e Páscoa são épocas muito especiais para a fé cristã e na vida das crianças. Os avós podem trabalhar para torná-las ainda mais memoráveis. Ao longo dos anos, temos desenvolvido alguns projetos manuais de enfeites, presentes e guloseimas com nossos netos. Eles acabam se tornando lembranças concretas do verdadeiro sentido do Natal ou da Páscoa – que Deus se fez homem para nossa redenção!

Recordações

O que eu mais gosto do Dia da vovó é o tempo com ela e com meus primos. Minha lembrança predileta foi quando fizemos projetos juntos. Amo meus avós porque sempre deixaram um bom exemplo para mim e investiram em minha vida. Minha avó é especial porque ela faz tanto com os netos...

Jonathan Cox (15 anos, estudante)

A seguir, algumas atividades do Dia da vovó que hoje constituem marcas na nossa família e que podem estimular suas próprias ideias para tradições na sua família.

38. ENFEITES ANUAIS

A cada ano, para o Natal, faça um enfeite de pendurar na árvore ou numa prateleira especial para cada membro da família. Coloque o nome da pessoa, o ano e se for possível a referência de um versículo bíblico. Quando o neto crescer e sair de casa, levará com ele todos os seus enfeites - um para cada ano de sua vida.

Recordações

Eu amo minha avó porque ela é uma pessoa muito legal e sempre faz o Dia da vovó muito divertido para todos nós. Ela faz projetos legais para nós no Natal... Minha atividade predileta foi a realização das guirlandas de Natal, nós colamos balas de morango nelas. Também gostei da viagem que fiz com vovô e vovó quando eu tinha 5 anos de idade... Vovô e vovó são muito especiais para mim e eu os amo.

Scott Anderson, (10 anos), estudante

39. GUIRLANDA DE PRESENTES

Você vai precisar de:

- Guirlanda de palha (comprada em feiras, lojas de artesanato, etc.)
- Caixinhas de fósforo
- Papel para enfeitar presentes
- Laço
- Botões e outros enfeites
- Cola quente
- Balas

Procedimento: Ajude as crianças a embrulhar as pequenas caixas de fósforo como se fossem presentes de Natal. Cada "presente" deve ser enfeitado individualmente com botões, miçanga, pequenas flores artificiais ou laços. Depois, cada presente é colado na guirlanda, com cola quente, lado a lado, deixando um espaço em cima para um lindo laço grande (cores natalinas como verde e vermelho, de preferência). Você pode acrescentar balas embrulhadas ou outras guloseimas.

40. HISTÓRIA DA PÁSCOA EM BISCOITOS

(Para fazer na véspera da Páscoa)

1 xícara de castanhas
1 colher de sobremesa de vinagre
3 claras de ovos
1 pitada de sal
1 xícara de açúcar
Saco plástico

Colher de pau
Fita
Bíblia

Aqueça o forno até uma temperatura de 150°C (é muito importante acender o forno antes de fazer a receita).

Coloque as castanhas dentro do saco plástico e com a colher de pau quebre-as. Deixe as crianças quebrarem em pedaços pequenos. Explique que depois que Jesus foi preso, ele foi espancado pelos soldados romanos.

Leia João 19:1-3

Deixe que as crianças cheirem o vinagre. Coloque uma colher de sobremesa de vinagre numa tigela. Explique que quando Jesus estava com sede na cruz, foi-lhe dado vinagre para beber.

Leia João 19:28-30

Acrescente as claras de ovos ao vinagre. Ovos representam vida. Explique que Jesus deu sua vida por nós.

Leia João 10:10-11

Coloque um pouquinho de sal em cada mãozinha. Deixe eles experimentarem. Coloque uma pitada de sal na tigela. Explique que o sal representa as lágrimas dos amigos de Jesus e seus seguidores, e a tristeza de nossos pecados.

Leia Lucas 23:27

Até então os ingredientes não são saborosos. Acrescente uma xícara de açúcar. Explique que a parte doce da história é que Jesus morreu porque ele nos ama. Coloque algum CD que fale sobre a morte de Jesus e seu amor. Ele quer que a gente o conheça e o receba.

Leia Salmos 34:8 e João 3:16

Bata na batedeira, na velocidade forte por 12 a 15 minutos até que fique em clara de neve. Explique que aos olhos de Deus a cor branca representa a pureza daqueles que têm seus pecados lavados por Jesus.

Leia Isaías 1:28 e João 3:1-3

Coloque as castanhas quebradas. Num papel manteiga em uma bandeja, coloque com uma colher de sopa pequenas quantidades. Explique que cada quantidade representa as pedras do túmulo aonde eles colocaram Jesus.

Leia Mateus 27:57-60

Coloque a forma no forno, feche a porta e DESLIGUE O FORNO.

Dê a cada criança um pedaço de fita adesiva para fechar ("lacrar"!) o forno. Explique que quando Jesus foi colocado no túmulo eles selaram a porta.

Leia Mateus 27:65-66

VÁ PARA CAMA. Explique que talvez eles se sintam tristes por ter que deixar as bolachas no forno durante toda a noite. Os seguidores de Jesus estavam MUITO tristes e desesperados quando o túmulo foi selado.

Leia João 16:20 e 22.

Na manhã da Páscoa, abra o forno e dê a cada criança uma bolacha. Perceba que as bolachas têm alguns 'quebradinhos'.

Abra e explique que as bolachas são vazias por dentro. Na primeira Páscoa, os seguidores de Jesus estavam surpreendidos ao ver que o túmulo estava aberto e vazio.

Leia Mateus 28:1-9

41. BOLO DO ANIVERSARIANTE

Se você tem habilidades culinárias, pode arriscar preparar um bolo individual e enfeitado conforme o pedido de cada neto no seu aniversário. Em nossa família, a dona Mary-Ann tem feito isso para cada um dos seus 20 netos ao longo dos anos.

Recordações

Eu gosto muito são os bolos de aniversário que a minha avó faz para todos nós. Ela sempre nos deixa escolher qualquer tipo de bolo e SEMPRE faz o que pedimos!

Richard Cox (10 anos, estudante)

A *vó* nos ajudou a fazer uma "casa" de bolo na época do Natal. Foi muito divertido. Depois nos ajudou a enfeitá-la com glacê, e o *vô* também nos ajudou a colocar balas no bolo. Vovô e vovó gostam de dar fortes abraços e beijos. Sinto falta deles!

Benjamin Anderson (5 anos)

Os bolos são feitos em formatos diferentes, simplesmente cortando o bolo em pedaços conforme o desejado (blocos, círculos, triângulos) e depois juntados e enfeitados para representar o objeto. Por exemplo, se a criança pedir um bolo de "trem", o bolo é cortado em blocos para representar os vagões, com "bolas" para representar as rodas, e depois é coberto tudo com glacê colorido a gosto.

Exemplos dos "bolos" especiais que os netos já pediram: Trem; Bola de Futebol; Campo de Futebol; Palhaço; Pipa; Avião; Computador; Dinossauro; Pista de Fórmula 1; Borboleta; Urso de Pelúcia; Elefante; Pinguim; Nave Espacial; Casa; Árvore de Natal.

Variação: Outro "bolo" popular que alguns dos netos escolhem é uma bolacha enorme *Chocolate Chip* (veja o capítulo de receitas) em formato de sanduíche, ou seja, as duas bolachas como se fosse o "pão" e o recheio sendo o sabor predileto de sorvete do neto.

42. FESTIVAL DE TALENTOS

Num dia determinado com muita antecedência, cada criança deve chegar a casa dos avós pronta para demonstrar algum talento que desenvolveu: contar uma história, apresentar uma dramatização, recitar uma poesia, tocar uma música, fazer alguns truques mágicos, etc.

43. CURSO DE PRINCESAS

A *vó* tem oferecido às netas o "Curso de Princesas" quando chegam a 11 ou 12 anos de idade. Em sucessivas semanas conversa com elas sobre tudo, desde boas maneiras, postura, modéstia, pureza moral, feminilidade, bom gosto e muito mais.

44. DISCIPULADO INDIVIDUAL

Para os avós que têm tempo e condições, fazer um discipulado individual com o neto ou a neta pode ser um ponto alto na vida de ambos. Pode-se usar um currículo conhecido ou preparar seu próprio material. Também pode ser numa área bem específica da vida. Por exemplo, o *vô* (Sr. Davi Cox) tem investido na vida de alguns netos na área de planejamento financeiro. Durante alguns encontros tem ensinado para eles como fazer e controlar um orçamento, como cuidar de uma conta corrente e abrir uma poupança.

Recordações

Um avô é alguém que se importa com seus netos. Normalmente ele é mais ocupado que a *vó*, mas se ele puder, faz algo especial de vez em quando e cria um elo com seus netos. O meu avô fazia discipulado (estudos bíblicos) comigo e foi muito especial! Meu avô é muito quieto; então, ter um tempo de discipulado juntos foi especial porque ele compartilhava comigo seus pensamentos e pedidos de oração.

Kevin Cox (17 anos, estudante)

45. DESPEDIDA DO DIA DA AVÓ

A *vó* marca uma data perto da formatura do colégio de cada neto que será, oficialmente, sua "despedida" do Dia da Avó. Mesmo que o neto não tenha participado semanalmente dos encontros, a despedida serve como oportunidade de homenagear o neto (e também os avós pelos anos de investimento). É um momento doce-amargo, cheio de saudades, mas também de gratidão por tudo que Deus fez.

Neste dia, além de uma refeição especial, cada família presente deve preparar alguma apresentação especial em honra ao "formando" – uma peça, uma poesia, uma apresentação de *PowerPoint* com slides ou algum elogio. Podem dar presentes simbólicos ou especiais. Deve haver um momento de compartilhar pelo que já foi feito e aprendido com os avós no decorrer dos anos, junto com um tempo de oração como família pela vida do convidado de honra.

Em algumas despedidas temos feito um Jantar Progressivo (veja o capítulo sobre refeições), passando de casa em casa de familiares que moram perto com um pequeno tempo de compartilhar ou jogos em cada casa. Outra despedida foi um passeio ao shopping com a família toda jogando boliche, seguido por um lanche no McDonald's e, de volta em casa, um tempo de compartilhar. Para uma das netas que gosta de coisas elegantes, fizemos um jantar chique com fondue. Para outro, tudo envolvia alguma atividade atlética. Então use sua criatividade e procure amoldar a despedida conforme a personalidade de cada neto.

LEMBRANÇAS E MEMORIAIS[67]

Como vimos na Parte I, capítulo 10, memoriais são lembranças visíveis e objetivas que recordam a fidelidade de Deus em nossa vida. A Palavra de Deus registra muitas dessas marcas na vida espiritual do povo de Deus - o arco-íris, altares, pedras do rio Jordão, a arca da aliança, festas judaicas, batismo, a Ceia do Senhor. Como seres humanos, precisamos de memoriais porque a nossa tendência é de esquecer o que Deus tem feito para nós. Memoriais nos forçam a transmitir as memórias de um Deus vivo para a próxima geração. Também desestimulam a reclamação e a murmuração, pois a bondade de Deus está sempre perante os nossos olhos.

Recordações

Lembro-me sempre das minhas conversas com minha avó, histórias do passado dela que ela contava, os conselhos que ela dava e, apesar da distância entre nós duas, quando a gente se reencontra ela ainda dá seus conselhos de avó! Sempre carrego comigo esses conselhos aonde quer que eu vá. Ela é um exemplo a ser seguido! Eu amo muito minha avó querida!

Juliana G. Merkh (24 anos, balconista)

---

[67] Essas ideias são adaptadas do livro por David J. Merkh e Carol Sue Merkh, 101 Ideias para Culto Doméstico, (SP: Hagnos) p. 74-78.

Podemos estabelecer lembranças concretas e criativas em nossos lares que servirão como os "altares" dos tempos antigos. Você não vai adotar todas as ideias apresentadas aqui. Mas esperamos que uma ou outra estimule sua família a criar memórias da fidelidade de Deus em sua vida.

46. GRÁFICO DE CRESCIMENTO

Um gráfico de crescimento na casa dos avós serve como constante estímulo e marcador de progresso na vida dos netos. É só uma questão de prender com fita durex um papel sulfite ou cartolina atrás de uma porta mais "escondida" na casa. De tempos em tempos (não menos de 3 meses de intervalo) deve medir a altura dos netos com régua e marcar o nome e a data com uma linha. Cada centímetro de progresso será como uma pequena vitória e motivo de alegria, assim como Jesus que *crescia em estatura, e sabedoria, e favor diante de Deus e dos homens* (Lucas 2:52).

47. GALERIA DOS NETOS

Ninguém segura o avô coruja quando quer mostrar as fotos dos netos "mais lindos do mundo". Mas na sua casa, ninguém pode reclamar se tem um lugar especial reservado para pendurar fotos dos netos. O mais comum é fazer uma "galeria dos netos" na geladeira, atualizadas de tempos em tempos, com fotos e também trabalhos manuais, desenhos, etc. feitos por eles. Alguns enfeitam a casa com fotos em porta-retratos. Outros criam uma galeria mesmo, um corredor da casa com fotos dos filhos e netos. Certamente causa alegria na vida desses quando veem o orgulho que os avós têm deles.

48. HERANÇA

Você não quer assustar seus netos, como se a sua morte fosse iminente, mas às vezes, os avós gostam de distribuir algumas das suas posses preciosas ANTES da sua morte. Objetos com valor sentimental, histórico e/ou espiritual, em particular, podem ser repassados para os netos com maturidade suficiente para reconhecer seu valor como memorial, parte do legado dos avós. Alguns objetos ajudam a preservar memórias e tradições familiares de geração a geração: um relógio, um enfeite especial, uma colcha feita à mão, cartas, fotos e coleções. O avô dos meus filhos tem presenteado cada um deles com "obras de arte" – desenhos que ele mesmo fez na sua mocidade – em molduras de vidro. São lembranças de valor inestimável do *vô*, que guardarão para sempre.

Recordações

Meu *vô* sempre foi um exemplo de mansidão e sabedoria... homem que ama a Deus e a família. Lembro que ele gostava de nos levar caminhando em trilhas pela mata. Foi um tempo muito especial.

Meu *vô* desenhou lindos quadros na época da sua juventude. Quando cada neto terminava o colegial, ganhava um. É um tesouro especial que nos lembra do legado dele.

Michelle (Merkh) Zemmer, casada com Ben, mãe de Davi e Tiago e educadora e do Lar

49. ÁRVORE GENEALÓGICA

Pesquisem os dados das famílias materna e paterna, nomes dos parentes, datas de nascimento, casamento, filhos, falecimento e também histórias pessoais, trabalho e qualidades pessoais. Esforcem-se para coletar dados a partir, no mínimo, dos bisavós. Reúnam-se para traçar a genealogia da família e deixá-la registrada. Incluam fotos, se possível. Aproveitem para destacar qualidades de caráter e agradecer a Deus por esta herança.

50. CAMISETAS FAMILIARES

Pense na possibilidade de tirar fotos de todos os netos sempre que estejam juntos ou, se não for possível, de cada família dos seus netos. Depois, passe numa loja especializada de confecção de camisetas para fazer uma camiseta familiar para todos. Faça um excelente presente de Natal de dois em dois anos, e será uma lembrança concreta do crescimento de cada pessoa e família.

51. VIAGENS COMEMORATIVAS

Falaremos mais sobre viagens missionárias a seguir. Mas muitos avós também gostam de marcar viagens com seus netos em ocasiões especiais: formatura, conclusão de uma etapa de vida, 15 anos, etc. Os netos esperam anos até chegar a data da sua viagem especial com a avó, o avô ou ambos. Dependendo das condições financeiras da família, pode ser simples ou extravagante: alguns dias na praia ou nas montanhas; um passeio ao nordeste ou sul; uma ida até a Disney. Seja onde for, será mais uma oportunidade para criar memórias para o resto da vida.

52. CÁPSULA DO TEMPO[68]

Material necessário: Vidro bem lavado, lembranças de eventos marcantes do ano (fotos, moedas, selos comemorativos, etc.), registro dos momentos alegres e tristes e uma lista de respostas de oração.

Colecione vários "memoriais" durante o ano todo. No final do ano, junte-os a uma lista de alvos para o ano seguinte e pedidos de oração, colocando tudo numa "cápsula do tempo". Cole no vidro uma etiqueta com a data e enterre no quintal ou guarde num lugar especial da casa. No final do ano seguinte, ou até mesmo depois de cinco ou mais anos, desenterre a cápsula para relembrar com a família a fidelidade de Deus e os eventos especiais ali registrados.

Recordações

Um legado deixado pelos meus avós é a importância que deram à família e aos netos. Eles separavam tempo e dinheiro para criar memórias especiais com os netos. Logo depois de ficar noiva, minha *vó* me levou num cruzeiro por uma semana. Foi um tempo muito inesquecível, só nós duas... gastamos horas conversando e planejando meu casamento.

Michelle (Merkh) Zemmer, casada com Ben, mãe de Davi e Tiago e educadora e do Lar

---

[68] Essa ideia e algumas das próximas foram adaptadas do nosso livro *101 Ideias criativas para o culto doméstico*, pela Editora Hagnos.

Variação: Faça uma cápsula do tempo num aniversário especial (por exemplo, o décimo terceiro ou décimo quinto) e marque uma data especial para desenterrá-la (por exemplo, no final da adolescência).

53. BRASÃO FAMILIAR

Material necessário: Uma madeira, papelão, ou outro material em forma de um escudo; objetos que caracterizam a família.

Os avós devem conversar com os netos sobre as marcas que caracterizam a família. Depois, decidir quais objetos poderiam simbolizar cada marca. Poderiam fazê-los ou comprá-los, e depois montar no "escudo", colocando num lugar bem visível. O brasão da nossa família, a família Merkh, inclui os seguintes objetos:

Salmos 127:1: A referência que está gravada nas nossas alianças de casamento. *Se o Senhor não edificar a casa, em vão trabalham os que a edificam...*

Figurinhas: 8 pessoas representando cada membro da nossa "pequena" família.

Data de Fundação (1982).

Notas Musicais: representando nosso interesse e alvo de formar um conjunto instrumental.

Livros: ilustrando nosso costume de ler livros juntos.

Globo: para focalizar nossa atenção na Grande Comissão (Mateus. 28:118-20).

Igreja: para nos lembrar do nosso compromisso com o Corpo de Cristo.

54. DIÁRIO DO DIA DA VOVÓ

Cada vez que reunir os netos para o Dia da vovó, registre o que foi feito, a refeição, o compartilhar com louvores e pedidos de oração, e outras atividades. Também podem anotar eventos marcantes na família de cada um desde o último encontro. O "Diário" serve como documento "oficial" da história da família e do Dia da vovó.

55. COLCHA DE MEMÓRIAS E TRABALHOS MANUAIS

Material necessário: um quadrado de tecido bordado ou pintado representando algo de cada ano de vida do seu neto(a).

Monte os quadrados formando uma colcha, coloque manta acrílica e um forro por trás. Entregue para o seu neto antes de se casar ou sair de casa. Servirá como lembrança especial da sua infância.

Variação 1: Em vez de bordar quadrados, faça uma colcha de quadrados cortados das roupinhas velhas que a criança usava e mais gostava. Estas devem ser guardadas de ano em ano até obter o suficiente para fazer a colcha.

Variação 2: Se for adepta a outros trabalhos manuais, que tal fazer uma blusa ou outra roupa especial para cada um dos seus netos?

56. ÁLBUM DE MEMÓRIAS

Reunir algumas fotos que resumam a história do Dia da vovó ou outros momentos especiais na vida da família. O álbum deve ser montado em ordem cronológica. Grave na capa: "Nossos melhores momentos". Talvez queira entregar um miniálbum para cada neto quando for para a faculdade, ou passar uma temporada fora do país, antes de casar-se, etc.

57. GRAVAÇÕES E FILMAGENS

Material necessário: Filmadora, gravador, fitas.

Esse memorial pode ser preparado anualmente numa mesma época do ano, por exemplo, a semana entre o Natal e o Ano Novo. Cada membro da família deve ser filmado/gravado. Incluam testemunhos sobre as dificuldades e vitórias do ano, bênçãos recebidas, músicas e versículos bíblicos. Sugerimos que gravem também outros momentos especiais do ano e particularmente o testemunho das crianças logo após a sua conversão. As gravações e filmagens são particularmente preciosas para observar o crescimento de cada filho.

58. RECORDAÇÕES DOS AVÓS

Os avós devem registrar, de preferência com a presença (e ajuda) dos filhos e netos, a história de sua vida: recordações da graça e da fidelidade de Deus que não podem cair no esquecimento. Alguém da família pode entrevistar os avós para a filmagem. As perguntas devem ser preparadas com antecedência. O programa deve ser gravado e guardado num "arquivo familiar". Perguntas que as crianças ou seus pais podem fazer:

Falem sobre seus pais, irmãos e irmãs.

Como eram os meios de transporte quando vocês eram crianças?

Como foi que vocês se conheceram?

Que igreja frequentavam na adolescência? Como eram os cultos?

Como vocês se converteram?

Qual foi o momento mais alegre da sua vida? E o mais triste?

Qual foi o maior susto que já levaram?

Como eram os nossos pais?

CONECTANDO-SE À DISTÂNCIA

E quando os netos moram longe? Mais cedo ou mais tarde provavelmente ficarão longe dos avós. Suas famílias mudam devido a transferências de serviço; saem para a faculdade; casam-se. Como continuar influenciando e impactando a vida deles? Como matar as saudades?

Algumas pesquisas sugerem que distância é o fator principal que influencia quanto tempo os avós terão com os netos. Um estudo descobriu que os avós que moravam num raio de 16 km dos netos fizeram em média quarenta visitas por ano, enquanto aqueles que moravam a mais de 160km de distância dos netos fizeram em média somente três visitas por ano.[69]

Em vez de reclamar porque os netos moram tão longe, os avós criativos tomam passos intencionais para construir pontes com eles da melhor forma possível. Fotos enviadas pela internet ou pelo correio; vídeos no *YouTube*.com; presentes por Sedex; visitas sempre que possível; cartas e ligações; todas são maneiras de conectar-se com seu neto mesmo à distância.[70]

Nunca ficou tão fácil para os avós manterem contato com seus queridos netos. A internet hoje possibilita tudo isso e muito mais. Alguns avós não querem contato com a tecnologia. Mas muitos avós hoje estão conectados em todos os sentidos ao mundo cibernético. Acho impressionante como dona Mary-Ann, com mais de 70 anos de

---

[69] Schreur, p. 101.

[70] Schreur, p. 123.

idade, está mais "ligada" aos acontecimentos do mundo virtual do que eu! Basta querer acompanhar e continuar influenciando a vida dos queridos netos.

Para quem não entende muito dessas coisas, é só pedir para um dos seus netos uma ajuda. E se seus netos têm 8 e 9 anos ou mais, certamente terão condições de abrir uma conta, instalar o programa e iniciar carreira na rede social.

Recordações

Eu acho legal como meus avós sempre se preocuparam em saber o que estava acontecendo em nossa vida e como quiseram fazer parte delas. Acho fantástico como a *vó* mantém contato com todo mundo e nos informa sobre as novidades. Além de Cristo, a *vó* é a "cola" que garante que tenhamos contato uns com os outros. Muitos dos meus amigos na faculdade não têm a mínima ideia do que acontece em suas famílias enquanto estudam longe delas, mas por causa da minha *vó* (e minha mãe, pois o legado continua!) eu quase sempre sei exatamente o que está acontecendo com meus primos e outros familiares espalhados do Japão aos Estados Unidos e de volta para o Brasil!

Elizabeth Cox (19 anos, universitária)

59. LIGAÇÕES, PROGRAMAS VOIP E *SKYPE*

Uma boa maneira de manter o elo entre avós e netos é através de encontros marcados por telefone. Será um ponto alto na semana de muitas crianças receber a ligação do *vô* e da *vó*. Interessantemente, a primeira ligação que a maioria das crianças recebe é dos próprios avós!

Existem cada vez mais programas de computador que facilitam e barateiam o custo de ligações à longa distância. Voz sobre IP, também chamado VoIP (*Voice over Internet Protocol*) se refere a esses programas que utilizam a rede da internet para fazer ligações, inclusive com vídeo, de graça pela internet, quando ambas as pessoas estão contectadas à rede. Mesmo uma ligação para um telefone fixo ou celular fica muito mais em conta do que as ligações tradicionais.

Recordações

Quase sempre que uso meu computador, minha filha, Michaella (3) pede para falar com a *vó*. A *vó* é muito fiel em conversar com ela via Skype, e muitas vezes conversa e até canta com ela pelo computador. Elas têm suas próprias músicas prediletas que cantam juntas!

Kimberly Anderson, representando Michaella Anderson (3 anos)

O programa gratuito chamado Skype é uma dessas ferramentas mais poupulares, que oferece a possibilidade de *chat* ou ligações sem despesa. Basta fazer o *download* do programa nos dois computadores (seu e o do neto) e ter conexão à internet para falar à vontade com ele.

60. FACEBOOK

Por muitos anos, o e-mail tem sido uma maneira fácil para estreitar os laços familiares à distância. Mas hoje, as redes sociais representam uma forma ímpar para continuar "ligado" com seus netos. Facebook, Orkut e outros programas de rede social que surgem a cada dia permitem enviar recados, ler "as últimas", ver fotos, compartilhar vídeos, conversar "ao vivo" (sem custo) e muito mais.

Uma palavra de cautela: muitos jovens não gostam que seus pais ou avós tenham contas nas mesmas redes sociais que eles, talvez por medo de constrangimento, interferência ou "invasão de privacidade". Mas a resistência parece ser menos para com os avós. Os netos acham graça e tem orgulho do fato de que vovô e vovó estão "ligados". Mesmo assim, tome cuidado para respeitar a privacidade deles, ao mesmo tempo em que eles precisam entender que "www" significa "World Wide Web". Ou seja, uma rede para o mundo inteiro.

61. VISITAS (PATROCINADAS?)

O filósofo de sabedoria popular, Benjamin Franklin, certa vez disse: "Visitas são como peixes — ambos cheiram mal depois de três dias."[71] Além de marcar visitas BREVES na

---

71 Wiggin, p. 28.

casa dos netos (sempre combinadas previamente com os pais) que tal oferecer (também, primeiro aos pais) que seu neto passe um tempo em sua casa? Talvez terá que "patrocinar" as despesas de viagem, e terá que verificar se os meios de transporte são seguros (o ideal seria buscar e levar o neto na casa dele, ou pedir que os pais tragam os filhos). Verifique se você limpou sua agenda nos dias em que o neto estará com você. No início, e com crianças menores (que provavelmente vão sentir saudades – isso é normal) talvez seja melhor só 2 ou 3 dias (conforme o conselho de Franklin). É melhor que voltem para casa querendo ficar mais com os avós do que contando os minutos até voltar para casa.

62. CARTAS E CARTÕES

Mesmo na era da informática (e talvez ainda mais agora), as crianças gostam demais de receber cartas pelo correio. E não precisa ser só as crianças que moram longe! Um cartão postal enviado durante uma viagem, um cartão de aniversário (melhor quando feito à mão pela *vó*!), uma carta simples de encorajamento ou de "parabéns" vão longe para lembrar os netos de que são muito especiais para vovô e vovó.

Recordações

Por morar em outro país, não tivemos o mesmo privilégio de participar regularmente do Dia da vovó. Mas meus pais levaram cada um dos nossos 4 filhos mais velhos em viagens especiais com eles enquanto estavam conosco nos EUA. Aquelas viagens foram marcantes para meus meninos, porque foi um tempo concentrado com seus avós, em que eles se conheceram melhor, criaram memórias juntos, participaram juntos de atividades especiais.

Também temos curtido períodos com os avós aqui em casa, que têm sido outra boa oportunidade para nossos filhos se "entrosarem" com seus avós. Caminhadas, projetos na cozinha, saída para tomar café, ou sorvete, são presentes especiais. Meus pais aproveitam bem o tempo com nossos filhos e investem na vida deles.

Um fator que tem ajudado, é que eles não tentam fazer tudo igual para todos os netos. A vida não é assim. Se eles insistissem em igualdade total, cada um dos netos teria perdido alguns momentos muito especiais e memórias inesquecíveis. São muito sábios em aproveitar cada oportunidade para fazer o que podem naquele momento junto com o neto que "por acaso" está com eles. Acho isso muito importante! Não espere que tudo seja igual. [...] aproveite os momentos que Deus dá a cada um.

Kimberly Anderson, Educadora e Do Lar
Mãe de 6 filhos,
filha do Sr. Davi e dona Mary-Ann Cox

MINISTÉRIO

É fácil o Dia da vovó se tornar algo totalmente voltado para os netos. Com certeza é um dia para os netos, mas não somente isso. Precisam entender que a vida que mais tem sentido é a vida vivida para abençoar. A vida de Cristo vivida em nós significa servir: "Pois o próprio Filho do homem não veio para ser servido, mas para servir e dar a sua vida em resgate por muitos" (Marcos 10:45).

Para evitar um egoísmo doentio, é bom promover atividades ocasionais de serviço junto com seus netos. A seguir, listamos algumas possibilidades para fazer com que os netos (e avós) elevem os olhos para ver e atender às necessidades de pessoas ao seu redor.

63. VISITAS

Certa vez uma amiga sofreu uma cirurgia de tireoide e ficou acamada, "presa" dentro de casa. Resolvemos levar os netos (com aviso prévio!) para fazer uma visita breve, levando cartões feitos por eles e biscoitos. Ensinamos as crianças o tipo de pergunta ou conversa "legal" com alguém doente e o que não se deve fazer. Visitas podem ser para asilos, onde a terceira idade adora receber pessoas, orfanatos, ou outros lugares.

64. EM HONRA AOS PAIS

Que tal desafiar os netos mais velhos a preparar uma refeição (com a supervisão dos avós) em que os pais serão honrados. Devem preparar um convite, usar uma roupa mais elegante, fazer a recepção, usar uma etiqueta refinada, servir à mesa, e fazer a limpeza. Pode começar com aperitivos na sala de estar e depois levar os pais até a mesa. Os netos devem comer na cozinha, à parte. Não é necessário fazer um "programa". Todos vão se divertir. Honra a quem honra!

65. CARTÕES

Ocasionalmente temos preparado cartões para pessoas doentes que entregamos pessoalmente (com bolachas ou outro doce).

Também fizemos cartões de gratidão, especialmente depois que alguém emprestou seu quintal, piscina, um jogo ou outra coisa para o Dia da vovó. (Precisamos cultivar um espírito de gratidão em nossos netos!)

66. CESTA BÁSICA SURPRESA

Outro desafio para os netos será não somente entregar, mas COMPRAR e PREPARAR uma cesta básica surpresa para uma pessoa ou família carente. Ajude os netos a escolherem o que seria de maior valor para as pessoas, mas permita que escolham algumas coisas "especiais" (como chocolate, bombons ou pequenos presentes). Se quiser aumentar o desafio, ajude-os a levantar os recursos através de alguns trabalhos básicos em casa.

67. PROJETO ADOÇÃO

Se você tiver oportunidade de encontrar seus netos com frequência, pense na possibilidade de fazer algum projeto de "adoção missionária", ou seja, de escrever, enviar pacotes ou ligar para algum obreiro que serve num campo distante. Os netos poderão orar semanalmente, ler notícias e envolver-se na vida desse servo de Deus.

68. VIAGENS MISSIONÁRIAS

Bem mais ousado seria levar um ou mais netos numa viagem para algum campo missionário, seja no mesmo estado ou até em lugares distantes. Mas sempre entre em contato primeiro com os missionários que pretendem visitar, para verificar disponibilidade, despesas, necessidades e duração da visita.

Ore e planeje a viagem durante pelo menos seis meses, reunindo-se pelo menos uma vez por mês para avaliar os preparativos. Todos devem inteirar-se das necessidades dos missionários e levantar a ajuda que for necessária. A viagem pode ser de uma semana ou de um mês, dependendo da disponibilidade da família e da missão. Compartilhe o projeto com os irmãos da igreja.

Observação: Tome muito cuidado para não ser um peso para a missão e os missionários, entrando em contato com ambos com muita antecedência e preparando-se para serem verdadeiros servos no campo.

Variação: De tempos em tempos, convidem um missionário em licença, um pastor ou outro obreiro cristão para compartilhar seu testemunho e ministério com a família. Todos receberão ensinos preciosos.

Recordações

A viagem com meu avô e primo Timothy até Roraima para visitar os índios Yanomami por 10 dias foi inesquecível. Experimentamos missões de perto...e fomos discipulados pelo avô Cox. Também tenho grandes lembranças de fazer caminhadas com meu avô para lugares perto de casa, mas totalmente novos para nós, e isso sempre era uma grande aventura. Durante alguns meses participei um discipulado com meu avô e aprendi lições valiosas sobre humildade, finanças, etc.

David Merkh Jr. (casado com Adriana,
pai da Lila e do André)
Pastor de Adolescentes,
Primeira Igreja Batista de Atibaia

BOAS MANEIRAS

Temo que minha esposa vá dar risada ao descobrir que estou escrevendo este capítulo. Creio que minha sogra vai desmaiar. Ambas são pessoas educadas, cultas e elegantes. Quanto a mim, tendo a arrotar... no momento errado e no lugar errado. Não seria um grande problema se morássemos numa daquelas culturas em que o arroto é considerado um elogio após uma ótima refeição. (Acho que meu "chamado" foi para o lugar errado!) Mas preciso confessar que, aos poucos, tenho aprendido a valorizar o que chamamos de "boas maneiras". Com uma prole grande de filhos e netos, eu também tenho que admitir que o meu exemplo como pai e avô dá apoio (ou não) ao que minha esposa ensina.

Existe base bíblica para boas maneiras. Boas maneiras nada mais são do que uma aplicação do princípio conhecido como "amor pelo próximo". Este respeito pela preciosidade dos outros é o que distingue o cristianismo de todas as outras religiões do mundo. *Amar ao próximo como a si mesmo* (cf. Levítico 19:18, Mateus 22:39) tem plena expressão na sensibilidade para com aquele que está ao nosso lado, vem atrás de nós, ou está na nossa frente.

O texto clássico na Palavra de Deus sobre esse tipo de amor encontra-se em Filipenses 2:1-8, e fala do exemplo de Jesus Cristo, a pessoa mais "culta" que já existiu, pois vivia sempre uma vida de "boas maneiras" a favor dos outros. Jesus era simples, humilde, nunca pretensioso, sempre "varão", e tratava as pessoas com consideração, dignidade e respeito.

Tenho certeza de que, quando sua mãe Maria entrava na sala onde o pequeno Jesus estava brincando, ele dava toda atenção para ela. Não consigo imaginar Jesus partindo pão com os doze e guardando metade da refeição para si mesmo num prato já cheio de comida. Ele sempre serviu os outros primeiro. Acho difícil imaginar Jesus acampado à margem do mar da Galiléia e deixando latas de suco de figo e papel no chão. Nem consigo imaginar ele e os discípulos escrevendo "Jesus e seus discípulos estiveram aqui!" nas pedras da Judeia.

Boas maneiras para o cristão significa viver a vida conforme a pergunta: "O que Jesus faria?" O fato é que muitos não sabem o que Jesus faria por não conhecerem as Escrituras. Infelizmente, nunca refletiram sobre expressões práticas de "amor ao próximo" em nossos dias. Por isso, gostaria de sugerir um pequeno guia para boas maneiras que refletem a preciosidade dos outros. Não praticá-las muitas vezes revela falta de educação, egoísmo, desrespeito e desonra daqueles ao nosso redor.

Os avós podem ter um papel fundamental no ensino e na exemplificação desses padrões. E essa foi a nossa experiência como pais, pois aprendíamos sobre "boas maneiras" quando nossos filhos voltavam para casa e explicavam um princípio de etiqueta que aprenderam na casa da *vó*.

A lista a seguir não somente ajudará você a ser uma pessoa mais "culta", mas a ensinar a seus netos alguns princípios do amor ao próximo em nossa sociedade. Seria bom ensinar esses princípios aos netos, pouco a pouco, no Dia da vovó:

69. EM GERAL

- Ninguém deve interromper uma conversa, mas esperar sua vez de falar.
- Não falar alto, dominar a conversa, fazer perguntas pessoais ou íntimas, usar palavrões ou palavras indiscretas, chamar atenção para si mesmo ou falar mal de outras pessoas.
- Nunca "furar fila", correr na frente de outros para ser servido primeiro, nem pegar porções grandes demais, não deixando o suficiente para os outros.
- Nunca bater em outra pessoa.
- Não mexer com os móveis ou decorações na casa dos outros.

70. EM CASA

- Levantar na presença dos mais velhos quando entram na sala (Levítico 19:32).
- Desligar a televisão ao receber uma visita.
- Não deixar roupas sujas e objetos pessoais no chão ou "esquecidos" pela casa.
- Não sujar múltiplos copos ou pratos e deixá-los para outro lavar.
- Não deixar uma última folha no rolo de papel higiênico, só para não ter que trocá-lo.
- Abaixar a tampa do vaso sanitário.
- Limpar a pia/o chuveiro depois de fazer a barba ou uma depilação.

71. EM PÚBLICO

- Cumprimentar pessoas com um sorriso, olhando nos olhos e mostrando interesse genuíno em seu bem-estar.
- Sempre deixar um lugar que você visitou (parque, camping, floresta, etc.) mais limpo do que quando você chegou.
- Nunca jogar ou deixar lixo no chão.
- Oferecer seu assento para pessoas idosas, gestantes, debilitadas ou com crianças pequenas (NUNCA assentar ou estacionar em lugares designados para estas pessoas!).
- Não estragar a natureza, tirando flores ou plantas, deixando marcas em árvores.

72. NA IGREJA

- Não correr ou brincar no pátio da igreja ou outros lugares onde pessoas idosas ou debilitadas congregam.
- Não atrapalhar o andamento do culto público por

– chegar atrasado
– levantar e sair
– passar bilhetes
– conversar
– deixar seu bebê chorar
– usar roupa indecente
– brincar com o celular
– enviar mensagens de texto

— permitir que seu filho desvie atenção dos irmãos por fazer "gracinhas".

73. NAS REFEIÇÕES

- Somente começar a se servir quando a anfitriã senta e pega seu garfo (isso para respeitar o tempo e trabalho que ela investiu preparando a refeição).
- Evitar tópicos "grosseiros" (tais como "sangue", "vômito", doenças e acidentes) enquanto sentado à mesa.
- Começar a se servir com o que estiver na sua frente e depois de se servir sempre passar os pratos adiante.
- Não começar a comer até os outros serem servidos.
- Não falar com sua boca cheia ou mastigar com boca aberta
- Não reclamar ou fazer comentários negativos sobre a comida, mas sim, elogiar e agradecer a pessoa que a preparou.
- Nunca brincar com sua comida.
- Não jogar fora comida que você mesmo colocou no seu prato, mas comer tudo.
- Pedir licença para sair da mesa.

Recordações

Por causa do interesse que a *vó* tem em minha vida, aprendi lições para quase todas as áreas da minha vida. Ela nos ensinou boas maneiras nas refeições, etiqueta (ainda tenho um pouco de medo de colocar meus cotovelos na mesa durante a refeição!), como trabalhar juntos como equipe, valores, amor, serviço, e muito mais. Muitas vezes eu me peguei citando algo que a *vó* me ensinou ou algum princípio que aprendi com ela, em conversas com amigos na faculdade.

Elizabeth Cox (19 anos, universitária)

OUTRAS DICAS E IDEIAS

Essa parte prática do livro ficaria incompleta sem o "*pot-pourri*" de ideias que seguem. Não se encaixam nas outras categorias já desenvolvidas, mas estão entre as dicas e atividades mais importantes para o Dia da vovó.

74. SEGURANÇA NO LAR[72]

Verifique a segurança do lar da perspectiva de crianças pequenas. Tome cuidado especial com objetos pequenos ao alcance delas, assim como sacos plásticos, fios expostos, tomadas e produtos químicos. Não deixe chaves onde os netos (pequenos ou grandes!) poderiam facilmente satisfazer sua curiosidade para ver o que está dentro do porta-malas do carro (ou se conseguem dirigir o carro!). Pense em como bloquear escadas, varandas e outras áreas proibidas que representam perigos para os netos. NUNCA deixe a criança pequena sozinha tomando banho.

75. ENCONTROS INDIVIDUAIS

Nada substitui tempo individual com uma criança para abrir oportunidades de encontrá-la em SEU mundo. Um passeio no parque, uma visita ao museu, uma manhã para pescar, uma volta no shopping – são oportunidades inéditas de "se conectar" ao seu neto. Ou talvez queira sair para tomar um sorvete, ir tomar café da manhã na padaria, ou até mesmo levar o neto para o lugar do seu serviço e passar o dia juntos.

---

[72] Bosak, pp 64,65.

76. REGRAS DIVERTIDAS[73]

Além das regras normais e individuais da casa que os avós precisam estabelecer para os netos (nada de gritaria; precisa comer tudo no prato para receber sobremesa, etc.) os avós podem estabelecer regras "divertidas" e únicas. Por exemplo, a avó pode guardar balas especiais, num pote com tampa. Os netos podem pegar algumas balas (número limitado!) MAS precisarão retirar a tampa sem ninguém ouvir qualquer barulho dela. Ou pode "baixar a regra" de ter que, antes de entrar na cozinha, pular em uma perna 3 vezes. Use sua criatividade para estabelecer as "regras divertidas" da casa da *vó*.

77. TRABALHO E OS NETOS

Infelizmente muitas crianças hoje estão crescendo sem saber trabalhar de verdade. Campanhas nacionais de proteção do menor no contexto de trabalho forçado certamente têm sua importância. Mas nunca deveriam ser levadas ao extremo de banir a colaboração de filhos e netos nos deveres do lar. Embora seja a responsabilidade principal dos pais ensinarem os filhos como serem bons e eficientes trabalhadores, os avós certamente podem ter um papel de reforço neste processo. Os avós deveriam verificar se as tarefas que exigem dos netos estão de acordo com a vontade dos pais.

Por que ensinar os netos a trabalhar? Gastamos boa parte de nossas vidas trabalhando. É bom aprender a gostar do trabalho e reconhecer que é uma bênção poder

---

[73] Bosak, p. 60.

trabalhar. Quando trabalhamos para adquirir algo, valorizamos mais o que conquistamos. O trabalho é digno, abençoado por Deus e faz parte do seu mandato para o ser humano mesmo ANTES da Queda e continuando depois dela.

Talvez ter os netinhos ajudando com algumas tarefas básicas em casa custe MAIS tempo do que poupe tempo, mas o valor em termos de companheirismo, bons hábitos e a valorização do trabalho e da "preciosidade" dos outros compensam muito mais.

Para crianças pequenas, procure não dar tarefas difíceis demais. Talvez guardar um prato ou colocar um par de meias no cesto de roupa suja, já seja suficiente. Insista que a tarefa seja bem feita. Não aceite corpo mole, tarefas completadas pela metade ou com atitude questionável. Torne o trabalho algo gostoso, fazendo com seu neto, talvez criando brincadeiras com o serviço (por exemplo, ver quem consegue catar mais lixo no tempo designado).

Para tarefas comuns envolvidas no Dia da vovó (lavar louça, limpar o pátio, por a mesa) é melhor não pagar. Se quiser ajudar seus netos a aprenderem o valor real, pode pagá-los por tarefas extras e/ou excepcionais.

78. PASSEIOS EDUCACIONAIS

Se os avós tiverem tempo e oportunidade, há MUITOS lugares fascinantes e abertos para visitas com pouco ou até nenhum custo. Além dos passeios "normais" (Zoológico, parque de diversão, shoppings) pense na possibilidade de alguns passeios educacionais. Serão oportunidades para os netos aprenderem sobre diferentes vocações e apreciarem a diversidade e importância de carreiras que fazem a sociedade andar. O lugar óbvio para começar é com amigos que são donos de empresas ou lojas, ou que trabalham em lugares interessantes.

Pense em lugares como:

- O Corpo de Bombeiros
- A Delegacia
- Uma fábrica
- Uma gráfica
- Uma fazenda
- Uma loja

79. CHÁ DE BONECAS

Muitas meninas gostam de preparar um "chá chique" com suas bonecas e convidar a vovó (ou até o vovô!) para festejarem juntos. Aproveite essa janela de oportunidade aberta por tão pouco tempo para entrar no pequeno mundo da sua neta. Veja o depoimento que segue para entender como funciona esse "chá chique"...

80. DELEGANDO RESPONSABILIDADE

Algumas vezes pedimos aos próprios netos para planejar o Dia da vovó. Estão entre os melhores Dias da vovó que lembramos. Pode pedir para os meninos planejarem um dia, e as meninas, outro. Temos encorajado os mais velhos a usarem sua criatividade para planejar todas as atividades do dia.

Recordações

Uma das recordações mais especiais que tenho da minha avó foi quando ela fez um "chá chique" para mim e minhas duas outras primas. Era para chegarmos a casa da *vó* com as nossas bonecas na hora de um chá da tarde. Depois, dormirmos na casa dela.

Vestimos-nos de forma elegante para a ocasião. Mesmo a *vó* tinha uma boneca! Ela pôs a mesa com os pratos mais especiais e tinha canecas miniaturas para as bonecas. Sentamos à mesa, com nossas bonecas ao lado em suas próprias cadeiras (em cima de várias almofadas!) e comemos uma refeição elegante.

Depois de rir durante toda a refeição, tivemos a sobremesa e a limpeza. Na hora de dormir, a *vó* deixou que todas nós ficássemos com ela para dormir em sua cama enorme e nova. Ela ficou conosco até que uma de nós, sem perceber, chutou-a fora da cama!

Keila Merkh (16 anos, estudante)

81. DRAMATIZAÇÕES

Pode (deve) incluir um tempo devocional no seu encontro. Nada melhor que dramatizações para tornar histórias bíblicas "vivas". Desafie os netos mais velhos a contarem uma história bíblica por meio de dramatização, para envolver e cativar os mais jovens.

82. COLEÇÕES

Colecionar objetos interessantes pode ser um excelente e saudável "*hobby*" que os avós podem estimular nos netos ou até mesmo fazer com eles. Se os avós já têm algum tipo de coleção, gaste um tempo explicando, em termos simples, por que gosta, como faz, e outros detalhes interessantes, como aspectos históricos daquelas coleções. Exemplos de coleções legais são: selos, botões, moedas, miniaturas, sinos, bonecas, pedras, etiquetas, latas, garrafas.

83. RELATÓRIOS ESPECIAIS

Às vezes, os netos precisam preparar um projeto escolar no qual investem muito tempo, energia e realmente produzem algo de valor para todos. Que tal pedir que compartilhem com os outros sua descoberta científica ou apresentem um relatório sobre a história.

84. BOLICHE

Se morar perto de um shopping ou outro lugar que tem boliche, verifique os melhores horários (e maiores descontos) para reservar as pistas necessárias e brincar com os netos. Muitas vezes há promoções durante o dia de segunda-feira e grupos podem receber um desconto maior. Normalmente uma hora de jogo é suficiente para as crianças se divertirem sem cansar.

85. LEITURA JUNTOS

Um dos melhores presentes que os avós podem dar aos netos é a leitura. Infelizmente muitas pessoas nunca desenvolvem o hábito da leitura porque seus pais e avós nunca leram para elas. A leitura leva todos em aventuras para lugares exóticos. É simples, não custa nada e as crianças adoram ouvir uma boa história. Quem lê para os netos aumenta o vocabulário deles, estimula a imaginação, afia sua capacidade de concentração, nutre o desenvolvimento emocional e espiritual e prepara-os para uma vida de aprendizagem. Quando os avós leem para os netos em voz alta, criam neles a vontade de ler antes mesmo de aprender a ler por si mesmos.

Para crianças pequenas, parte do Dia da vovó deve incluir a leitura de livros simples, com muitos desenhos de várias cores, com uma mensagem apropriada e, de preferência, bíblica. Depois de crescerem mais, os avós podem acrescentar livros mais "pesados", mas de grandes aventuras e desafios, como biografias missionárias. Livros clássicos também fornecem material que desafiará a vida de netos e avós. Sempre gostamos dos sete livros da série *As Crônicas de Nárnia* por C. S. Lewis.

Seria uma ótima ideia iniciar uma pequena biblioteca da vovó para as crianças também poderem ler sozinhas quando estiverem em sua casa. Recomendamos o catálogo da Editora Hagnos para uma boa coleção de livros apropriados para as crianças de 0 a 10 anos. Veja o catálogo completo no site http://www.hagnos.com.br/.

86. MÚSICA

Nada se compara com o poder da música para inculcar valores e princípios no coração de todos nós. Aproveite

> ### Recordações
>
> No Dia da vovó, sempre curtimos os momentos de leitura e o simples fato de estarmos juntos. Isso fortaleceu nossa amizade familiar, a unidade e a alegria de estarmos juntos.
>
> *David Merkh Jr., casado com Adriana,*
> *pai da Lila e André*
> *Pastor de Adolescentes,*
> *Primeira Igreja Batista de Atibaia*

a boa música em casa para ensinar histórias bíblicas, memorizar versículos e expandir horizontes. Não tenha medo de expor os netos a algumas das SUAS músicas prediletas (mesmo que antigas). Talvez se surpreenderá, pois é possível que eles passem a gostar de música de outra época.

87. ESPORTES

Para os avós que têm energia, saúde e disposição, jogar tênis, futebol, vôlei ou algum outro esporte com os netos já deixará marcas (de preferência, não na canela) na vida de todos!

88. A GAVETA DA VOVÓ[74]

Pense na possibilidade de "estocar" uma gaveta especial (também pode ser uma caixa), designada como a "gaveta da vovó", em que guardará bugigangas especiais e interessantes, apropriadas para as crianças brincarem, criarem curiosidade, desenharem e muito mais. Pode incluir lápis de cor, lápis de cera, etiquetas, revistas, moedas e massa de modelar. Se quiser criar expectativa, pode embrulhar algo novo como surpresa para marcar cada visita dos netos em casa.

89. JOGOS DE MESA

Algo simples, mas não se esqueça de jogar com seus netos assim que tiverem a capacidade de fazê-lo. Jogos de memória, cartas e de mesa fornecem momentos de grande diversão para todos e ensinam lições sobre como perder (e ganhar!) bem.

90. BRINCADEIRAS NO QUINTAL OU PARQUE

Se seus joelhos e coluna ainda permitem, que tal ensinar a seus netos algumas das brincadeiras que você lembra da sua infância. Esconde-esconde, amarelinha, pega-pega, cantigas de roda, bolinha de gude, jogo de taco, 3 Marias...

91. PUXA-PUXA

CUIDADO: É MUITO FÁCIL SE QUEIMAR com esse exercício, que só deve ser feito com crianças bem mais velhas (acima dos 12 anos).

---

[74] Bosak, p. 75.

Ingredientes:

1 xícara de açúcar
½ xícara de Karo
½ xícara de água

Recordações

Uma avó é alguém que se importa comigo (inclusive, me disciplinando quando for preciso). Alguém que me discipula e dá bons conselhos.

Um avô é alguém que é sábio e dá bons conselhos. Nos leva em caminhadas ou outras atividades que a *vó* não gosta de fazer!

Minha recordação preferida do Dia da avó foi quando ela falou para que todos nós colocássemos roupas de banho. Depois ela fez um pudim de chocolate e permitiu (incentivou!) que cobríssemos nossos corpos com ele e que fizéssemos qualquer desenho possível!

Amo meus avós porque dedicam TANTO do seu tempo a nós. Sempre pensam no que é melhor para nós, seus netos. E agora são exemplos perfeitos de bisavós.

Stephanie Cox (15 anos, estudante)

Misture esses ingredientes e ferva até 130°C (ponto de fio). Mas cuidado para não deixar queimar.

Em seguida, acrescente os seguintes ingredientes:

> 1 colher de sopa de baunilha
> 1 colher de sopa de vinagre (opcional)

Quando estiver pronto, derrame em porções individuais sobre pratos untados.

Cada pessoa deve colocar manteiga nas mãos como proteção e para facilitar o manuseio do "puxa-puxa". Depois de separar uma quantidade que cabe na palma da mão, comece a "puxar", expondo a massa ao ar quanto possível. Continue puxando e juntando a massa, acrescentando manteiga na mão para não se queimar. Estará pronto quando a massa ficar branca. Pode modelar conforme a criatividade de cada um, depois deixar esfriar e endurecer como uma bala bem gostosa.

92. MASSA DE MODELAR

Você não precisa comprar massa de modelar se consegue fazê-la em casa!

Ingredientes que devem ser misturados numa panela:

> 1 xícara de farinha de trigo
> ½ xícara de vinagre
> 1 xícara de sal
> 1 xícara de água
> 1 colher de sopa de óleo
> Anelina

Mexer enquanto está cozinhando em fogo baixo até que a mistura forme uma bola em redor da colher. A mistura tem que ficar seca.

Tirar do fogo. Amassar como se fosse pão por 2 minutos. Deixa esfriar. Colocar numa tigela fechada.

Observação: Pode colocar a anilina só quando amassar. Pode dividir a massa em 2 porções com 2 cores diferentes.

A massa pode ser modelada para criar os objetos que as crianças quiserem...

Recordações

Para mim, os avós são pessoas que cuidam de você o tempo todo. Também são pessoas que sempre estão disponíveis quando você precisa de alguém para conversar ou pedir ajuda.

Minha recordação predileta do Dia da avó foi quando fomos para a casa de uma amiga da minha *vó*, para fazer sabonete e nadar em sua piscina.

Amo meus avós porque são pessoas fantásticas que me amam muito.

Joshua Anderson (13 anos, estudante)

101 ideias criativas

93. PISCINA

Um dos programas prediletos dos netos no verão é brincar na piscina. Se você tiver amigos com uma piscina segura (rasa) o suficiente para seus netos, veja se não deixariam vocês passarem um tempo brincando juntos. Obviamente terá que ter supervisão muito atenta para evitar qualquer acidente.

94. ASSISTIR TV OU DVD JUNTOS

Talvez você queira investir numa pequena videoteca para os netos assistirem quando estiverem em casa. Faça uma boa escolha conforme a idade e interesse dos netos, e verifique de antemão que o filme seja algo edificante e não de moral questionável.

Recordações

Uma avó é alguém que me ama. Ela lê para nós, brinca conosco e tira tempo do seu dia só para estar conosco. Eu sou muito grato por ela.

Um avô é alguém que é muito fiel e dá conselhos que ajudam. Ele ama todos nós e eu o amo também.

Minha lembrança predileta do Dia da avó foi assistir alguns programas de sobrevivência e viagens na TV.

Amo meus avós pelo tempo que passam comigo e porque brincam comigo, mas acima de tudo, porque me amam.

Kelly Cox (13 anos)

95. VER FOTOGRAFIAS DA FAMÍLIA

Uma foto vale mil palavras e várias fotos contam grandes histórias. Conte as histórias do passado através de álbuns velhos de fotografias. As crianças adoram ver as fotos de quando seus pais eram pequenos!

96. CAMINHAR JUNTOS

Uma das nossas atividades prediletas é caminhar com os pequenos nos ombros, apontando árvores, flores, animais, bichos e muito mais. Quando os pequeninos crescerem, caminhadas podem ser feitas ao redor de parques, shoppings, fazendas e lagos. São momentos que Deuteronômio 6:6-9 ressalta como oportunos para inculcar a Palavra de Deus e princípios de vida no caráter do neto.

97. LIVRO DE RECORDES FAMILIARES

Que tal começar um caderno, com fotos, para registrar alguns recordes familiares em categorias que vocês mesmos determinam. Pode incluir os "recordistas" e resultados de competições de videogames, jogos de mesa, esporte ou até mesmo categorias divertidas (quem consegue construir a torre de blocos mais alta; quem consegue segurar o fôlego mais tempo; quem consegue ficar quieto mais tempo!). Servirão também como desafios por muitos anos, para ver quem consegue "destronar" o campeão atual nas diversas categorias.

98. ACAMPADENTRO

Se os netos dormirão pelo menos uma noite em sua casa, que tal promover um "acampadentro". Em vez de dormir nas camas, todos vão dormir na sala, espalhados no chão. Pode contar histórias no escuro, fazer um "culto da fogueira" (com lanterna no meio), cantar juntos, fazer um piquenique, fazer cachorro quente e muito mais. Podem acordar cedo para ver o sol se levantar, e depois ir para cama pra valer!

99. FÉRIAS FABULOSAS... COM PROPÓSITO

Nada impacta a vida de um neto como uma viagem especial, só ele com vovô e vovó. Talvez não seja para todos os avós...a idade, a saúde e as dificuldades financeiras podem nos limitar muito. Mas se a graça de Deus nos permitir, uma das maiores marcas que podemos deixar na vida dos nossos netos são "férias com propósito".

Não é preciso ir longe para fazer uma viagem inesquecível. Pode ser uma viagem a negócios para o interior do estado. Ou talvez alguns dias na praia. Melhor ainda quando a viagem tem um propósito especial focalizado em servir outros. Meu sogro já levou seus netos mais velhos em viagens missionárias para o extremo norte do Brasil, para conhecer e servir entre os índios yanomami. As histórias que contam quando voltam – da caça na mata, da pesca, dos cultos, dos horizontes culturais desbravados – não têm preço.

Já que minha sogra tem um gosto um pouco diferente, ela tem marcado viagens especiais com as netas quando se aproximam da maioridade – um cruzeiro, uma semana na praia ou algumas noites num hotel.

Não existem "regras" para essas viagens — os avós podem pagar tudo, ou, se tiverem condições, os pais ou os

> ## Recordações
>
> Fiz uma viagem com meus avós e uma vez paramos num posto para abastecer onde havia uma caixa enorme de conchas. O meu avô viu que eu fiquei fascinado e ele acabou comprando uma grande concha para mim, que tenho até hoje. Isso reforçou minha impressão de que avós são pessoas muito generosas.
>
> *Keith Michael Anderson (17 anos, estudante)*

próprios netos podem contribuir. Podem viajar sozinhos com vovô ou vovó, ou formar pequenos grupos de irmãos ou primos da mesma idade para acompanhá-los. O importante é que todos se divirtam, sirvam a outros e criem memórias inesquecíveis.

100. VIAGENS[75]

Por vezes os avós poderão estar com os netos no carro durante longas horas. Que tal enriquecer esses momentos com algumas brincadeiras, jogos e diversões construtivas? Por exemplo, pode preparar um "saco de surpresas" que inclui pequenos presentes que serão abertos de hora em hora durante a viagem. Uma bala ou chiclete; um gibi; um brinquedo simples; um jogo; massa para modelar.

---

[75] Ideias adaptadas do nosso livro *101 Ideias criativas para a família* pela Editora Hagnos. Veja esse livro para mais ideias para viagens.

Também pode fazer algumas brincadeiras de inteligência como:

- **20 perguntas:** Um dos participantes escolhe um personagem bíblico. Os demais devem adivinhar de quem se trata, fazendo no máximo 20 perguntas que devem ser respondidas somente com "sim" ou "não". O primeiro a descobrir a identidade correta ganha o direito de escolher o próximo personagem.
- **Eu vejo:** A primeira pessoa começa declarando, "Eu vejo algo que você não vê e a cor é _____". Os outros precisam adivinhar o que a pessoa está vendo. Quem acertar continua com uma nova afirmação "eu vejo".
- **Vou viajar e estou levando:** Comece a brincadeira dizendo: "Vou viajar e estou levando _____." No espaço, fale algo que começa com a primeira letra do seu nome. A próxima pessoa repete a mesma frase, mas deverá preencher usando uma palavra que começa com a primeira letra do nome dela. Se ela acertar, você diz "Sim, pode levar." Se não, diga, "Não, não pode levar." Continue a brincadeira até que todos descubram a charada.
- **Rodízio de cânticos:** Uma viagem longa passa bem mais rápido com o "rodízio de cânticos". Uma pessoa dá início, sugerindo um cântico que todos conheçam. A seguir, outra irá sugerir um novo cântico que comece com uma das palavras com que o primeiro terminou. Continuem assim até esgotar as possibilidades. Quando a sequência for impossível, comecem tudo de novo.

101. VOCÊ JÁ FEZ JUNTO?

Encerramos as sugestões de ideias com uma lista de atividades que representa muitas atividades que avós e netos podem fazer juntos. O propósito da lista não é de jogar culpa, mas sim estimular avós e netos a investirem tempo precioso em atividades juntos. Algumas ideias já mencionamos e outras são listadas aqui pela primeira vez. Coloque um "X" sempre que completar uma dessas atividades com um ou mais de seus netos:[76]

( ) Jogar bola
( ) Fazer e empinar pipas
( ) Andar de bicicleta
( ) Pescar
( ) Andar na mata
( ) Ler um livro
( ) Estudar juntos
( ) Ir ao parque
( ) Ir ao Zoológico
( ) Ir ao circo
( ) Montar um modelo de avião
( ) Sair juntos para almoçar/jantar
( ) Fazer pequenos consertos na casa
( ) Lavar o carro
( ) Plantar uma árvore ou hortaliça
( ) Fazer um piquenique
( ) Montar um quebra-cabeça
( ) Ir ao shopping
( ) Fazer um churrasco

---

[76] Ideias adaptadas do livro *101 Ideias criativas para a família*, David J e Carol Sue Merkh (SP: Hagnos), p. xx

( ) Pegar ondas
( ) Subir uma montanha
( ) Fazer um móvel de madeira
( ) Brincar com jogos de mesa
( ) Construir um fogãozinho com tijolos
( ) Fazer uma casinha ou móveis para bonecas
( ) Assistir um filme
( ) Fazer um carrinho de rolimã
( ) Fazer compras
( ) Arrumar a casa ou o depósito
( ) Cozinhar
( ) Contar piadas

Recordações

O Dia da avó significava que nossos filhos teriam um tempo divertido brincando com seus primos e, ao mesmo tempo, aprendendo da sua avó, e às vezes, do seu avô. Sempre admirei e apreciei como a *vó* planejava uma variedade de atividades, ao mesmo tempo em que esperava e curtia as atividades com os netos. A repetição nutriu o desenvolvimento de tradições, enquanto a variedade incentivou a criatividade. Ela investiu nas atividades e no caráter. Às vezes, conflitos entre os primos e/ ou uma questão de disciplina foram tratados de maneira um pouco diferente do que nós teríamos feito. Mas aquelas situações serviam como excelentes oportunidades para nossos filhos aprenderem a resolver conflitos respeitosamente e como se submeter à autoridade de outro adulto que não fosse seus próprios pais...

Para mim, o Dia da vovó significava que meus filhos estariam num lugar seguro e acolhedor, permitindo que eu pudesse ter um tempo para fazer compras, participar de uma reunião ou encontro, realizar um projeto ou fazer ligações sem interrupção. Aquela tarde com vovó (especialmente quando as crianças eram menores) foi um tempo grandemente esperado, de maior flexibilidade em minha agenda para investir em outros, ou até alguns momentos de descanso e silêncio para mim mesma. Os avós providenciam um lar fora do lar, um refúgio para eles. São uma fonte de sabedoria e experiência para nossos filhos. Representam outra geração para nossos filhos aprenderem a amar, respeitar e cuidar, especialmente na medida em que os avós envelhecem. Avós não são perfeitos, mas podem ser uma parte maravilhosa do coração do filho, do seu desenvolvimento e vida.

Cindy Cox R.N.
Enfermeira, mãe de 4 filhos,
nora da dona Mary-Ann Cox

Conclusão

Que legado você vai deixar? Dizem que Martinho Lutero quando perguntado: "O que faria se tivesse somente um dia para viver?" Respondeu: "Eu plantaria uma árvore!"[77]

Como avós, Deus nos deu a oportunidade de plantar SEMENTES de árvores no coração dos nossos netos. Que sementes você tem plantado? Que histórias você tem contado? Como será lembrado um ano depois da sua morte? Cinco anos? Vinte e cinco anos?

---

[77] Palms, p. 194.

Roger Palms, num capítulo chamado "Cinco Anos Após a Morte", desafia avôs e avós a investir aquilo que é eterno na vida dos netos:

> Nós somos doadores de um legado. O estímulo que temos, as histórias que contamos, e os milagres de Deus em nossa vida não deveriam se perder com nossa morte...Esse é o nosso legado, e Deus não irá desperdiçá-lo.
> Esse é nosso tempo para dar. Estes últimos anos são nossos melhores anos.
> Anos após você haver subido mais alto, quem estará dizendo num momento de reflexão: "Eu nunca esquecerei..." Cinco anos depois de você haver ido, talvez alguém diga a outro: 'Deixe-me contar-lhe sobre..."
> A história contada será sobre você.[78]

Que Deus nos dê avós intencionais, avós comprometidos, avós dispostos a investir tempo, recursos e energia para construir um legado que continuará para todo sempre.

---
78 Palms, 201-202.

Muitas outras ideias

Se você gostou das ideias para avós apresentadas aqui, com certeza vai gostar de muitas outras já colecionadas nos livros da série 101 Ideias Criativas, todos pela Editora Hagnos. Muitas delas são apropriadas para fortalecer e dinamizar o relacionamento entre avós e netos. Veja os títulos:

101 Ideias criativas para grupos pequenos
101 Ideias criativas para o culto doméstico
101 Ideias criativas para mulheres
101 Ideias criativas para a família
101 Ideias criativas para professores
151 Boas ideias para educar seu filho
101 Ideias para paparicar seu marido
101 Ideias para paparicar sua esposa

Bibliografia

BOSAK, Susan V. *How to Build the Grandma Connection*. Toronto: TCP Press, 2004.

GOMES, Elizabeth. *É a Vovó: o tesouro da vida madura multiplicado nos filhos e nos netos*. Brasília: Refúgio, 2001.

HENDRICKS, Howard. *O Outro Lado da Montanha: o caminho do amadurecimento digno e saudável*. SP: Mundo Cristão, 2000.

LANESE, Janet. *Grandmothers are Like Snowflakes... No Two are Alike: words of wisdom, gentle advice and hilarious observations*. New York: Dell, 1996.

MCBRIDE, Mary. *Grandma Knows Best, but No One Ever Listens: hilarious helpful hints for grandmas*. New York: Meadowbrook, 1987.

PALMS, Roger C. *Celebrando a Vida depois dos 50: sua vida pode estar apenas começando*. Rio de Janeiro: Textus, 1995.

SCHREUR, Jerry e Jack. *Creative Grandparenting: how to love and nurture a new generation*. Grand Rapids: Discovery House, 1992.

WIGGIN, Eric. *The Gift of Grandparenting: building meaningful relationships with your grandchildren*. Wheaton: Tyndale House Publishers, 2001.

Sobre os autores

Dona Mary-Ann Cox é avó de VINTE netos e QUATRO bisnetos com quem, durante anos, tem desenvolvido o que chama de o Dia da vovó, um tempo semanal cheio de atividades com propósito, diversão e serviço. Juntamente com o Sr. Davi Cox, faz viagens especiais com os netos durante a adolescência. Tem sido muito procurada em dois continentes por avós que desejam investir na eternidade separando tempo para influenciar a vida dos netos. É coautora do livro *101 Ideias Criativas para Mulheres*, casada há mais de cinquenta anos com Sr. Davi Cox, fundador do Seminário Bíblico Palavra da Vida. O casal vive no Brasil desde 1963.

Dr. David J. Merkh, casado desde 1982 com Carol Sue (filha do Sr. Davi e dona Mary-Ann Cox), é pai de seis filhos e avô de quatro netos. Autor de treze livros sobre temas familiares e ministeriais, é Doutor em Ministério com ênfase em ministério familiar, pelo Seminário Teológico de Dallas (EUA), e professor do Seminário Bíblico Palavra da Vida, Atibaia, SP, desde 1987. Também é pastor de exposição bíblica da Primeira Igreja Batista de Atibaia, e conferencista.

Sua opinião é importante para nós.
Por gentileza, envie-nos seus comentários pelo e-mail:

editorial@hagnos.com.br

Visite nosso site:

www.hagnos.com.br